Por um
Brasil Unido
e Forte

Eliseu Gabriel
Marcos Fávaro

—

Por um **Brasil Unido** e Forte

GERAÇÃO

Copyright © by Eliseu Gabriel e Marcos Fávaro
1ª edição – Setembro de 2022

Grafia atualizada segundo o Acordo Ortográfico da Língua Portuguesa de 1990, que entrou em vigor no Brasil em 2009.

Editor e Publisher
Luiz Fernando Emediato

Produtora Editorial
Ana Paula Lou

Ilustrações da Capa
Elifas Andreato

Capa, Projeto Gráfico e Diagramação
Alan Maia

Preparação
Nanete Neves

Revisão
Ana Maria Fiorini

Dados Internacionais de Catalogação na Publicação (CIP) de acordo com ISBD

G118p   Gabriel, Eliseu
         Por um Brasil mais unido e forte / Eliseu Gabriel, Marcos Fávaro. – São Paulo : Geração Editorial, 2022.
         256 p. : 15,6cmx 23cm.

         Inclui bibliografia e índice.
         ISBN: 978-65-5647-075-7

         1. Economia. 2. Política brasileira. 3. História do Brasil. I. Fávaro, Marcos. II. Título.

2022-247   CDD 330
                                                       CDU 33

Elaborado por Vagner Rodolfo da Silva – CRB-8/9410

Índices para catálogo sistemático
1. Economia   330
2. Economia   33

GERAÇÃO EDITORIAL
Rua João Pereira, 81 – Lapa
CEP: 05074-070 – São Paulo – SP
Telefone: +55 11 3256-4444
E-mail: geracaoeditorial@geracaoeditorial.com.br
www.geracaoeditorial.com.br

Impresso no Brasil
Printed in Brazil

"A finalidade do Estado é promover a justiça social. Mas não há justiça social sem desenvolvimento e não há desenvolvimento sem soberania."

GETÚLIO VARGAS, 1937

—

"As nações, porém, como os indivíduos, atravessam grandes momentos em que é preciso enfrentar o destino."

GETÚLIO VARGAS, 1941

—

"Não há, portanto, nenhum conflito real entre o revolucionário e a tradição, exceto para aqueles que concebem a tradição como um museu ou uma múmia. O conflito é efetivo apenas com o tradicionalismo. Os revolucionários personificam a vontade da sociedade de não se petrificar em um palco, de não se imobilizar em uma atitude. Às vezes, a sociedade perde essa vontade criativa, paralisada por uma sensação de exaustão ou desencanto. Mas então, inexoravelmente, seu envelhecimento e seu declínio são verificados."

JOSÉ CARLOS MARIÁTEGUI, 1927

Sumário

Prefácio – *Dr. André Roberto Martin* 13
Introdução 19

Primeira Parte
A Formação da Economia, da Sociedade e do Estado Brasileiro

1. **A formação da economia do Brasil** 28
   1.1. Os ciclos econômicos e o território brasileiro 28
   1.2. A inserção internacional subalterna 31
2. **A formação do povo brasileiro** 35
   2.1. A superexploração do trabalho 35
   2.2. A Lei de Terras de 1850 e a tragédia do latifúndio 35
   2.3. A herança maldita da longa escravidão 37
3. **A formação do Estado brasileiro** 38
   3.1. O roteiro para a independência 39
   3.2. O papel da Guerra da Tríplice Aliança contra o Paraguai (1864-1870) na formação do Estado brasileiro 42
   3.3. Cai a Monarquia e surge a República 43

3.4. A vulnerabilidade da economia agroexportadora e a
precariedade da indústria no começo do século XX 45
3.5. Vargas e o fortalecimento institucional do Estado Nacional 49

Segunda Parte
Arrancada Para o Desenvolvimento

1. **Getúlio Vargas no poder, o planejamento para a industrialização do país 53**
   1.1. O consenso para a industrialização, um pacto social nacional 55
   1.2. O sucesso do primeiro governo de Getúlio Vargas (1930-1945) no fortalecimento do Estado Nacional e na implantação da indústria como atividade de grande escala 59
   1.3. Foco inicial no planejamento para o desenvolvimento 61

2. **Acaba a Segunda Guerra Mundial, sai Getúlio e é eleito Eurico Gaspar Dutra. O Plano SALTE 67**
   2.1. O Plano SALTE 68

3. **Getúlio Vargas, eleito, volta ao poder em 31 de janeiro de 1951, e os anos de desenvolvimento continuam 69**
   3.1. O suicídio de Getúlio Vargas 70

4. **Os anos JK e o Plano de Metas 75**
   4.1. Cinquenta anos em cinco 75
   4.2. Novo pacto na industrialização 79
   4.3. O Brasil atinge o ciclo industrial completo 81
   4.4. A construção de Brasília 84
   4.5. Custos e benefícios do Plano de Metas 85

5. **Jânio Quadros é eleito presidente e João Goulart é eleito vice-presidente 87**

6. **João Goulart assume em 7 de setembro de 1961 e tenta emplacar seu Plano Trienal 88**
   6.1. O Plano Trienal 89
   6.2. O colapso do Plano Trienal 90
   6.3. As Reformas de Base 92

7. **Com o golpe de Estado de 1964, vem a Ditadura de 21 anos 94**
   7.1. Castelo Branco e o Plano de Ação Econômica do Governo (PAEG) 95

7.2. A vez do general Costa e Silva 96
7.3. Médici é indicado para o lugar de Costa e Silva 97
7.4. Um novo plano nacional de desenvolvimento e a crise do petróleo de 1973 97
7.5. Ernesto Geisel e o Segundo Plano Nacional de Desenvolvimento (II PND) 99
7.6. Quinze de Março de 1979, o general Figueiredo assume e vem a maior crise 104
7.7. A crise internacional do final da década de 1970 e sua relação com o Brasil 105
7.8. Uma tentativa de salvar a economia? 106

8. Participação do Estado no desenvolvimento econômico 109
8.1. Períodos de maior participação do Estado na economia 109

9. O colapso da Ditadura 113

10. A ascensão de Sarney, o vice, à Presidência da República 118
10.1. José Ribamar Ferreira de Araújo Costa: José Sarney 118
10.2. A ruína de Sarney 119

Terceira Parte
O Brasil Ladeira Abaixo

1. Consenso de Washington, uma cartilha vinda de fora que muda tudo 125
1.1. Consenso de Washington, a "pá de cal" na nossa autonomia 126
1.2. O dogma do Estado mínimo, essência do Consenso de Washington 127

**2. "De Fernando em Fernando...", descaminhos e caminhos da política
econômica brasileira a partir da década de 1990 .... 130**

3. Eleito, Fernando Henrique Cardoso assume em 1º de janeiro de 1995 131

4. Lula é eleito presidente em 2003. Reeleito, fica até 2010 133
4.1. PAC: surge um plano de desenvolvimento nacional depois de 28 anos 134
4.2. O Pré-Sal 135

5. Dilma Rousseff é eleita, reeleita e cai 136
5.1. O PAC 2 – Programa de Aceleração do Crescimento 136
5.2. As manifestações de junho de 2013 137
5.3. A Operação Lava Jato e suas consequências para a economia brasileira 138

6. Temer do MDB, o vice, assume com sua "Ponte para o Futuro" 139
7. Bolsonaro, o vingador? 140
   7.1. Uma eleição fora da rota 140
   7.2. Onde vamos parar? 141

Quarta Parte
A Geopolítica e o Fundamental Trabalho de Relações Exteriores

1. Geopolítica, o que é? Para que serve? 147
2. Potências marítimas e potências terrestres: os grandes atores do xadrez geopolítico mundial 148
3. O Brasil como potência anfíbia e a ideia de um Mundo Meridional 152
   3.1. O Brasil no xadrez geopolítico mundial 152
   3.2. A guerra fria 153
   3.3. Brasil, Estado marítimo ou terrestre? 157
4. Soberania e autonomia: dois conceitos para a compreensão do imperativo estratégico brasileiro 158
5. A estratégia de países centrais para a contenção da autonomia brasileira 163
   5.1. Sair dessas armadilhas 169
6. O que se entende por política externa? 170
7. Política externa e desenvolvimento: o exemplo da "Equidistância Pragmática" de Vargas (1936-1941) 172
8. A política externa brasileira no tempo da Guerra Fria (I) – 1947-1964 174
9. A política externa brasileira no tempo da Guerra Fria (II) – 1964-1989 177
10. A política externa na Nova República: de Sarney a Itamar Franco 179
11. Fernando Henrique Cardoso e a política externa da "Autonomia pela Integração" 180
12. Lula e o retorno da política externa Sul-Sul 182
13. Os últimos dez anos de política externa brasileira 183

Quinta Parte
O que Fazer?

1. Fortalecer as instituições públicas 187
2. Retomar a política econômica centrada no crescimento do país 187
3. Viabilizar pactos sociais e planos de desenvolvimento nacional 187
4. Implantar uma política externa que garanta a autonomia do país 189
5. Acompanhar, no possível, a Quarta Revolução Industrial 192
6. Âncoras para o desenvolvimento sustentável do Brasil nos dias de hoje 196
   - 6.1. Pactos sociais 196
   - 6.2. Educação, Ciência, Tecnologia e Inovação. 197
   - 6.3. A agricultura 204
   - 6.4. Indústria de defesa 211
   - 6.5. A indústria para a saúde 218
   - 6.6. A grande indústria da construção civil 221
   - 6.7. A indústria siderúrgica e metalúrgica 222
   - 6.8. A indústria da energia 223
   - 6.9. A indústria do refino do petróleo 226
   - 6.10. A indústria de alimentos 227
   - 6.11. A indústria dos transportes 228
   - 6.12. A indústria de semicondutores 228
   - 6.13. A indústria aeroespacial 229
7. Terciário, a importância do setor de serviços 233
8. Considerações finais 235

Referências bibliográficas 243

Índice onomástico 247

Prefácio

Professor Dr. André Roberto Martin[1]

Neste ano de 2022, o Brasil completa dois séculos de vida independente. Numa coincidência que pode ser auspiciosa ou nefasta, também elegeremos o novo presidente da República, que terá que lidar com uma situação internacional muito tensa e com uma economia e uma sociedade em frangalhos.

No ano de 2012, um ensaio da *Texas Rating* previa que o Brasil, que acabara de equiparar o seu PIB ao do Reino Unido, se tornaria a quarta economia mundial em dois anos, superando a França. No entanto, em 2022, segundo a mesma fonte, o país havia caído para a décima quinta posição. Também Jim O'Neill, criador do acrônimo "BRIC", indicava o Brasil como o mais promissor do grupo de países que ele havia identificado como os de maior potencial de crescimento em todo o mundo. Ou seja, o Brasil era visto como *la crème de la crème*.

Como explicar tal discrepância entre as previsões e a realidade? O que teria acontecido com o Brasil, nesta última década, para "descer tão rápido ladeira abaixo?"

---

[1] Professor titular do Departamento de Geografia da Universidade de São Paulo (DG/USP).

OLIVEROS, Lemay Padrón. La increíble caída de Vanderlei de Lima. Guajiro Arrepentido, 20 de maio de 2012.

Disponível em: http://guajiroarrepentio.blogspot.com/2012/05/la-increible-caida-de-vanderlei-de-lima.html
acessado: 24 de março de 2022.

    A foto acima explica de maneira metafórica e sintética o que aconteceu conosco. Se chamarmos o irlandês que atrapalhou Vanderlei Cordeiro de Lima, o maratonista brasileiro que liderava a prova rumo à medalha de ouro, de "Operação Lava Jato", as coisas começam a ficar mais claras.

A foto abaixo completa a explicação:

MACHADO, Carlos Henrique. Biden e o Golpe em Dilma. O Antropofagista, 3 de março de 2022.

Disponível em: https://antropofagista.com.br/2022/03/03/biden-e-o-golpe-em-dilma/
acessado: 24 de março de 2022.

Era o dia 31 de maio de 2013. O então vice-presidente norte-americano, Joe Biden, estava em uma missão oficial no Brasil com o objetivo explícito de arrancar da presidente Dilma o compromisso de uma modificação no modelo de partilha do Pré-Sal, abrindo assim as concessões da nova fronteira petrolífera às empresas norte-americanas.

A recusa de Dilma em aceitar a demanda norte-americana selaria seu destino. No mês seguinte, têm início, como se do nada, os protestos difusos que terminaram batizados como "as jornadas de junho", hoje claramente identificadas como as primeiras agitações de uma guerra híbrida lançada pela potência norte-americana contra o nosso país. Também chamada de "guerra de quarta geração", a guerra híbrida envolve um conjunto de ações legais e ilegais visando dominar os "corações e mentes" das populações-alvo, a fim de que uma mudança de regime nos respectivos países permita aos EUA contar com o apoio de um governo dócil e submisso aos seus interesses.

É por isso que as próximas eleições lembram tanto a situação vivida por Dom Pedro I. "Independência ou Morte", é isso que estará em jogo nas próximas eleições. Em outras palavras, ou a nação desperta para a necessidade de superação do neoliberalismo como ideologia dirigente do Estado brasileiro, reivindicando um desenvolvimento soberano e socialmente inclusivo, ou retrocederemos à condição de mera colônia norte-americana, neste momento em que a potência hegemônica vê seu domínio ameaçado.

O que o livro de Eliseu Gabriel e Marcos Fávaro nos mostra é que o Brasil já contou com projetos de desenvolvimento exitosos que garantiram um crescimento sustentado por longos períodos, a ponto de, no século XX, havermos sido a nação de mais rápida industrialização do mundo, ao lado do Japão e da União Soviética. Essa perspectiva de longa duração revela ainda uma coincidência incômoda, pois desde que saímos do regime militar, em 1985, o país praticamente estagnou, o que pode levar muitos a concluírem que a "culpa" é da democracia, ou, mais especificamente, da Constituição de 1988.

Trata-se de outro equívoco, rebatido por nossos autores neste volume, embasados em rigorosa pesquisa histórica e econométrica. A tabela a seguir resume em grande medida os temas aqui desenvolvidos. Conclua o leitor por si só:

Economia e ciclo político
Taxas médias de crescimento anual do PIB brasileiro %

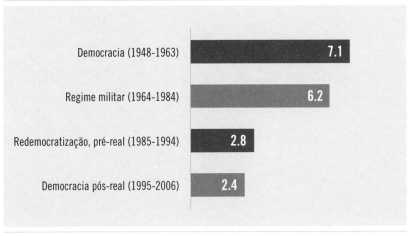

Fonte: Folha de S. Paulo

Fica evidente, assim, qual o sentido histórico de nossa escolha neste ano: combinar de forma inovadora a democracia conquistada em 1988, com o planejamento perdido em 1985, criando uma nova economia política que valorize o trabalho e respeite a natureza, ou insistir no neoliberalismo devastador e sem regras que nesses últimos 30 anos foi responsável pela destruição do planejamento estatal, pela desnacionalização da nossa economia, pela reprimarização da nossa pauta de exportações e pela privatização de praticamente tudo, até da segurança individual e patrimonial. O Brasil, porém, não é só isso, e pode contar uma bela história de lutas que o tornaram o primeiro país tropical do mundo a se industrializar. Lembrar como isso se deu é um dos propósitos principais deste livro. Uma boa leitura a todos.

Introdução

O que aconteceu ao Brasil?

Durante muitas décadas, entre 1935 e 1980, o Brasil foi o país que mais cresceu no mundo. Éramos o que a China é hoje em termos de desenvolvimento, éramos admirados mundialmente. Para se ter uma ideia, em 1980 o Produto Interno Bruto, o PIB, brasileiro era maior que o PIB da China e o da Coreia somados. Em 1990, o PIB brasileiro ainda era maior que o da China.

De lá para cá, nosso país pouco prosperou e, em muitas ocasiões, tem andado para trás. Hoje, incrivelmente, o PIB brasileiro é apenas 10% do PIB chinês. A tabela a seguir mostra o PIB do Brasil e o da China em 1990 e em 2020.

Produto Interno Bruto (PIB) em bilhões de dólares

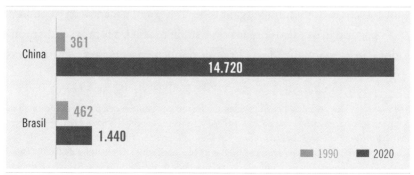

Fonte: Banco Mundial

O que aconteceu para chegarmos a essa grave e aparentemente insolúvel crise econômica, social e cultural? Reverter esse atraso é possível? Temos potencialidades para isso? O que fazer?

Essas são as perguntas que vamos responder ao longo deste livro.

Primeiras considerações

Há coisa de um século, o Brasil padecia de uma crise da organização política e social dentro de um sistema federativo sem ligação com a realidade nacional. Tal crise era agravada pelo longo período de escravidão, então recém-abolida, pela precariedade do poder público e pelas suas frágeis estruturas econômicas e sociais. O pessimismo, no início do século XX, era generalizado.

Naquele contexto de perigos iminentes, inclusive de rompimento da unidade territorial da nação, o então capitão de mar e guerra Thiers Fleming[1] (1880-1971) propôs, em palestras e livros lançados a partir de 1917, um grande projeto de reorganização nacional, que tinha como âmago a reformatação do sistema federativo. Seu lema era *"Por um Brasil Unido e Forte".*

Apesar de já se passarem mais de 100 anos, essa frase sintetiza a grande tarefa que os brasileiros têm hoje, e, por isso, a adotamos como título deste nosso trabalho.

Fleming foi um dos grandes estimuladores da necessidade de planificação do desenvolvimento do país como um todo. Felizmente, na década seguinte, a de 1930, esse entendimento começaria a se concretizar mais efetivamente com a ascensão de Getúlio Vargas (1882-1954) à Presidência da República.

A partir daí, os vários órgãos do Estado brasileiro foram sendo montados e institucionalizados. O poder público passou a ter as estruturas

---

[1] Brasileiro de descendência britânica, Fleming foi um dos grandes defensores do processo de reorganização nacional. Sua vasta obra é dedicada a temas de engenharia naval e também incluem livros de preocupações geopolíticas como *Limites e superfície do Brasil e seus estados* (1917); "Limites interestaduais" (conferência na Biblioteca Nacional, em 11 de setembro de 1920);"Brasil unido: limites interestaduais" (conferência na Sociedade Brasileira de Geografia), *Nova divisão territorial do Brasil* (1933), *Problemas nacionais* (1933), entre outros.

necessárias para organizar e dirigir, de fato, os destinos da nação no rumo do seu desenvolvimento.

Como já afirmamos, desde então e por várias décadas, sempre contando com o planejamento da economia, sob a coordenação do poder público, o Brasil foi o país que mais cresceu no mundo. Porém, há cerca de 30 anos a nação brasileira começou a "patinar", desorganizar-se e até a andar para trás. Vivemos uma situação confusa e decadente, que lembra um pouco o que acontecia há um século.

Em parte, este trabalho constitui uma ampliação do livro *Brasil Soberano*[2] trazido a público no ano de 2009. Assim como o seu precursor, o trabalho que se apresenta é um debate à luz dos fatos e do conhecimento acerca das grandes questões do Brasil de nossa época.

Diferentemente, porém, daquele texto, o livro que se apresenta aqui não é publicado dentro de um contexto de otimismo e de crescimento econômico. Ao contrário, ele é redigido em um momento de apreensão coletiva a respeito do futuro da Pátria, com a fragilização das instituições e o destino incerto das próximas gerações. E foi exatamente para superar essa insegurança e apontar boas razões para termos esperança que decidimos elaborar este livro.

Os últimos sete anos, a partir de 2015, foram marcados por crônica recessão econômica e por abalos políticos significativos, cujos pontos de tensão mais salientes foram a deposição da presidente Dilma Rousseff em 2016 e a eleição de Jair Messias Bolsonaro como presidente da República em 2018.

Tais acontecimentos, intimamente vinculados, coroam o ressurgimento de uma economia com ainda menos planejamento e menos regulamentação, e a doutrina do "Estado mínimo" permanece fornecendo as diretrizes de organização do Estado Nacional.

A consequente deterioração do patrimônio público, o empobrecimento crescente da população e a crise de legitimidade das instituições foram as resultantes da radicalização de uma concepção de política econômica

---

[2] GABRIEL DE PIERI, Eliseu. *Brasil Soberano: um plano nacional pós-neoliberalismo.* 2. ed. Brasília: Fundação João Mangabeira, 2009.

que busca, a todo custo, destituir o Estado Nacional de seu importante papel no desenvolvimento da Nação.

Em momento algum das décadas em que ocorreu o grande sucesso do desenvolvimento brasileiro o Estado teve papel secundário.

Estruturamos o conteúdo em tópicos que retomam as grandes questões da formação nacional e o seu desenvolvimento histórico. Destacamos os esforços dos sucessivos governos na planificação centrada no desenvolvimento econômico do país por cinco décadas, a partir de 1930.

Destacamos também as décadas em que o desenvolvimento do país foi sendo comprometido por decisões de política econômica dos governos. Mostramos a importância das relações internacionais para o Brasil e, por fim, apresentamos os caminhos para superar essa difícil situação em que nosso país foi jogado.

O título deste livro é carregado de palavras contundentes: **união** e **força**. Não são apenas palavras de impacto: elas descrevem valores, os mais profundos, que motivam os autores deste livro a apresentarem as propostas nele escritas.

Nos dias de hoje, são aquelas duas palavras as âncoras de uma grande nação, de um **Estado** com condições de prover aos seus cidadãos segurança, prosperidade, crescimento cultural e espiritual.

Se um Estado[3] não consegue ser soberano, unido, forte, ou não garante democracia, ele passa a existir como um expediente curto da história, e as energias sociais que o sustentam se esvaem até ele tornar-se um "*Estado falido*"[4], dominado pelo crime, pelo pauperismo e sem nenhuma significância positiva no cenário internacional.

---

[3] O termo *Estado* é usado aqui como sinônimo do conjunto das instituições que compõem os órgãos públicos do país em todos os níveis: federal, estadual e municipal. Essa á forma usual da palavra Estado, com letra maiúscula, utilizada na literatura política, que pode também aparecer como *Estado Nacional*. O termo, portanto, não deve ser confundido com as unidades subnacionais que compõem a federação brasileira, tais como "estado de São Paulo", "estado de Minas Gerais" etc.

[4] Aqui, a expressão *Estado falido* não se refere a um país endividado, que não consegue pagar suas contas. O termo se refere, na verdade, ao Estado que não consegue mais cumprir sua função social, que é garantir estabilidade e desenvolvimento social. Um Estado falido não consegue ter domínio sobre o próprio território, ficando este com setores inteiros tomados pelo crime organizado ou por outras nações. O melhor exemplo de "*Estado falido*" em nossa época é a Somália, que não consegue estabelecer um governo central e que tem o seu território tomado por grupos criminosos organizados em torno de ações ilegais, como de pirataria no Mar Vermelho.

A perda de autonomia, colocando em risco sua soberania, é um sintoma gravíssimo para um Estado. Um país que é considerado soberano pela comunidade internacional, mas que não consegue fazer o exercício dessa condição é, com certeza, um Estado falido.

Na crise sanitária de 2020 e 2021, ficou evidente a perda de autonomia do Brasil. O país demonstrou ter pouca capacidade de mobilização nacional e de articulação internacional para angariar aqueles ativos estratégicos para a gestão da crise.

Isso aconteceu não apenas pela falta de habilidade e pela insensibilidade para o problema do Governo Central, mas também pela perda da capacidade de ação do Estado brasileiro, que tem sido intencional e continuamente desestruturado pela ação governamental nos últimos anos, especialmente desde 2016.

O fato de o Brasil passar por um processo de desindustrialização, investir pouco em pesquisa científica e tecnológica e não contar com a eficiente indústria farmacêutica que já teve tolheu a possibilidade de o país ajudar seu povo, e até outras nações, a superar, com bem menos vítimas, a grave crise sanitária causada pela pandemia da COVID-19.

A falta de entendimento do papel que o Estado Nacional tem que exercer, acreditando na ciência e liderando o enfrentamento da pandemia, fez do Brasil um dos recordistas no número de mortes pela COVID-19 no mundo.

Quando falamos de "união", estamos falando da união entre o setor público e o privado e, também, de um amplo pacto social entre os diferentes setores sociais que formam a nação. Todos têm que ser protagonistas e beneficiários material, social e culturalmente do crescimento do país.

Por isso, quando falamos de *"Um Brasil Forte"*, queremos falar de um país realizador, com autonomia, e de um Estado Nacional capaz e planejador, em sintonia com a iniciativa privada.

Ao pensarmos neste livro, acolhemos a missão de apresentar para os nossos leitores uma mensagem de esperança e diretrizes seguras para que o Brasil supere o grave desafio que hoje lhe é imposto. Sabemos da força que temos como nação e, por isso, acreditamos na possibilidade de prosperidade material e moral de nossa pátria, com a convicção de que ainda somos uma das maiores e mais promissoras comunidades humanas do mundo.

Primeira Parte

A formação da economia, da sociedade e do Estado brasileiro

O passado é uma força importante, para não dizer vital, de uma sociedade. Afirmamos isso porque sabemos que a realidade que se vive é, em boa medida, uma derivação de realidades passadas, de maneira que fenômenos sociais ocorridos há décadas, ou até séculos, permanecem influenciando nossa época, mesmo depois de sucessivas transformações e ressignificações.

É muito difícil para um cidadão saber, principalmente se não tiver como entender o significado verdadeiro das informações que chegam a ele, quais os fenômenos mais antigos que ainda permanecem influenciando a sociedade. Mais difícil é avaliar quais fenômenos sociais nascentes na nossa época influenciarão as próximas gerações.

Um povo que não cultua a sua memória é um povo que, necessariamente, está destinado ao atraso e ao sofrimento. A disposição de conhecer e analisar, sem ideias preconcebidas, os fatos do passado nos auxilia a entender os méritos, os vícios humanos, as contradições de uma época e como estas ainda influenciam os dias de hoje.

Muito se tem escrito, nas últimas três décadas, para desmerecer a história de nosso Brasil. Abordagens radicais salientam apenas os aspectos violentos ou injustos da nossa formação, que de fato existiram. Porém, aqui analisaremos também fatos auspiciosos de nossa história a partir de 1930.

O Brasil, assim como tantos outros países, é cheio de contradições, porém nossa história não é apenas um catálogo de vícios e equívocos. É a história de um povo em formação, que foi explorado, que passou por dificuldades, mas que, por vezes – e não poucas vezes –, teve consciência do seu desafio. Encarou os fatos e venceu com decisões acertadas, ainda que fossem limitados os recursos humanos[1].

Nós apontamos as décadas de 1930, 1940 e 1950 como os "anos de ouro" da formação nacional e um modelo para as gerações contemporâneas, que farão deste um grande país, quando conscientes dos meios com os quais a nação conta e do momento em que se encontra a sociedade.

1. A formação da economia do Brasil

1.1 Os ciclos econômicos e o território brasileiro

A história econômica oferece uma das chaves para a compreensão dos problemas da formação social brasileira. A maneira como o país entrou na economia internacional, herdada do período colonial, não apenas deu forma e dinâmica à nossa contraditória estratificação social, como determinou nosso lugar na economia mundial.

Desde os primórdios da colonização a estrutura econômica brasileira usou como base de seu desenvolvimento a grande propriedade de terra, ocupada pela monocultura voltada para o mercado internacional. Este fato foi o formador das condições de trabalho retrógradas, baseadas na escravidão, que durou 300 anos e encerrou-se oficialmente, mas não de fato, no final do século XIX.

Ainda em 1930, a economia brasileira se sustentava em torno de ciclos produtivos, todos eles alocados no setor primário[2] da economia.

---

[1] O Brasil de 1930 contava com pouco menos de 30 milhões de habitantes, 80% deles analfabetos. O Ensino Superior resumia-se a faculdades isoladas, que não eram capazes de formar a quantidade de profissionais necessários e nem de desenvolver pesquisas. Por isso, a partir do início da década de 1930, o Brasil precisou importar mão de obra qualificada. Após alguns anos, as universidades implantadas conseguiram suprir parte da demanda do mercado nacional por quadros técnicos. As Forças Armadas tiveram uma importância fundamental, uma vez que o Exército e a Marinha eram algumas das poucas instituições com capacidade formativa amadurecida para prover a nova administração pública de funcionários qualificados.

[2] O setor primário da economia é aquele de atividades sociais que extraem diretamente da natureza os bens econômicos. Tais bens são caracterizados por ter baixo valor agregado, uma vez que, geralmente, eles são exportados com um índice de beneficiamento baixo. Assim, os produtos agrícolas não beneficiados, os produtos brutos da mineração e do extrativismo vegetal (madeiras, ervas) são aqui considerados mercadorias primárias.

Cada ciclo constituiu-se em um período histórico marcado pelo sucesso de um produto agrícola ou mineral que atendia ao mercado internacional, como foi o caso da cana-de-açúcar, do ouro, da borracha e do café, entre outros produtos tropicais, como o cacau.

No estudo da história econômica do Brasil, encontramos termos como *"Ciclo do Ouro"*, *"Ciclo do café"*, *"Ciclo da borracha"*, *"Ciclo da cana-de-açúcar"* dando nome a esses períodos históricos, que têm a monocultura de exportação como atividade de sustentação e de organização da sociedade.

Na época colonial, pouco da riqueza produzida pelo setor agroexportador ficava no Brasil. Quase nada do resultado econômico obtido era investido na estruturação do país, o que teve um impacto muito negativo na formação da sociedade brasileira. Pode-se dizer que, de certa forma, essas oportunidades poderiam ter criado a infraestrutura da nação, mas foram perdidas.

Tal modelo também impactou a formação territorial do Brasil, uma vez que, no nosso caso, a colonização era vista como um empreendimento basicamente de extração, o que levou à ocupação quase caótica do território, formando *"Arquipélagos Econômicos"* (ver mapa). Eram núcleos de exploração econômica intensiva, especializados em uma única atividade agrícola ou de mineração para a exportação.

Espalhadas pelo território colonial português, as "ilhas" do "Arquipélago Econômico" tinham mais vinculações comerciais com o mercado europeu do que com qualquer outro ponto de produção econômica do Brasil ou da América do Sul.

Tal configuração resultou em um problema fundante da vida pública brasileira, que é a dificuldade de o país integrar o seu próprio território. Durante toda a fase imperial e toda a fase da Primeira República (1889 - 1930), o território brasileiro tinha como principais vias de comunicação os grandes rios navegáveis, sendo que as estradas de ferro eram relativamente curtas e possuíam a função primordial de escoar as riquezas do Brasil para os portos, de onde seguiam para países do capitalismo central. Apenas secundariamente, as ferrovias serviam para integrar o território. Isso gerou uma herança ruim, que mesmo a política desenvolvimentista do século XX não conseguiu superar totalmente.

A falta de articulação territorial dificultou a integração do mercado brasileiro e fomentou separatismos. Esse problema é um obstáculo histórico para o nosso desenvolvimento econômico e um problema de segurança latente, já que dificulta o acesso militar às periferias do território.

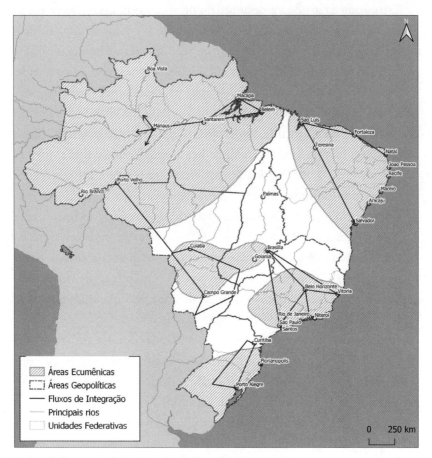

Os "arquipélagos econômicos" e a formação territorial do Brasil
O mapa expõe o caráter pouco funcional da ocupação do território brasileiro pela ação colonial portuguesa. Os setores do território colonial que foram ocupados (em destaque no mapa), eram aqueles que tinham importância econômica imediata para Lisboa, fosse para o abastecimento do mercado internacional de mercadorias tropicais, fosse para a produção de alimentos para a sustentação da força de trabalho no Império Português. O termo "arquipélago econômico" se refere ao fato de as regiões de exploração econômica ficarem geograficamente isoladas umas das outras, como ilhas dentro de um arquipélago.

Adaptado de: SILVA, Golbery do Couto e. *Conjuntura política nacional: o poder executivo & geopolítica do Brasil*. Rio de Janeiro: José Olympio, 1981, p. 90.
Cartográfo: Tito Lívio Barcellos Pereira

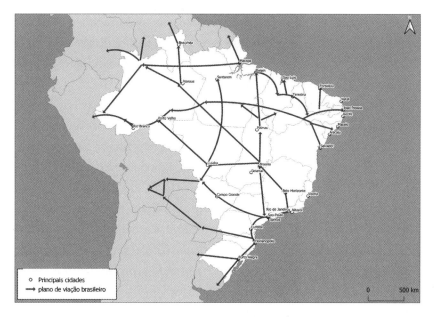

O plano de viação brasileiro e o seu significado geopolítico
A integração das "ilhas" do "arquipélago econômico" brasileiro foi uma das metas do Brasil independente. Porém, dada a falta de indústria, os governos tiveram resultados muito modestos nessa empreitada. A partir de 1930, com mais recursos econômicos e tecnológicos, uma rede de rodovias foi planejada para a integrar o território brasileiro, obedecendo o desenho expresso no mapa acima. Deve ser salientado que a expansão das rodovias não foi seguida da expansão das ferrovias, e mesmo projetos rodoviários importantes, como a transamazônica, entre outros, foram abandonados pela sua dificuldade de implantação. Apesar da melhoria de condições em relação à situação do início do século XX, a integração territorial brasileira ainda é um desafio, no século XXI.

Adaptado de: GUGLIALMELLI, Juan Enrique. *Geopolítica del Cone Sul*. Buenos Aires: Editora El Cid, 1978, p. 143.
Cartográfo: Tito Lívio Barcellos Pereira

1.2 A inserção internacional subalterna

Fora a questão da formação territorial, salta aos olhos a inserção internacional do país, que foi matizada pela configuração econômica da colonização. Trata-se de um problema complexo, impossível de ser tratado integralmente de forma resumida.

Para estabelecer sua colônia, pouco a pouco os agentes econômicos de Portugal destruíram as formas associativas existentes neste canto do continente. No lugar da organização social indígena, por exemplo, surgiu o latifúndio, que, desde o começo, progrediu com o uso da mão de obra escrava.

A sociedade brasileira começava então a sua vida regida a partir de práticas sociais de caráter destrutivo, o que fez a população naturalizar a violência e a exploração como componentes do seu cotidiano. Mas os problemas não pararam por aí.

O modelo de colonização contribuiu para situar o Brasil dentro da hierarquia da economia internacional como um produtor de mercadorias primárias. Os altos lucros oriundos da produção primária para exportação colaboraram para criar uma pequena classe dominante muito rica e alheia à inovação, que, impressionada pelos lucros da atividade primária, chegou, por vezes, a obstruir até pequenos projetos de industrialização.

Em geral, em economias agroexportadoras a mão de obra é menos qualificada e também menos remunerada, diferentemente da mão de obra de uma economia industrial. Isso tende a produzir uma maior concentração de renda ao longo de gerações. No Brasil, esse efeito foi ainda mais nocivo porque a mão de obra que sustentava a base da economia era escrava, o que ajudou a tornar o Brasil um dos países de maior concentração de riqueza do mundo[3].

As relações comerciais do Brasil com outros países foram marcadas pela *deterioração dos termos de troca*, um fenômeno que reforçou as condições de subdesenvolvimento da economia brasileira. O conceito de "deterioração dos termos de troca" se refere às consequências do fato de os países agroexportadores terem que compensar as suas importações de itens industrializados com a exportação de mercadorias primárias, com bem menor valor agregado.

A deterioração dos termos de troca não é um fenômeno vulgar. Ao contrário, ela dita as linhas gerais das relações de países apenas agroexportadores com os países produtores de tecnologia, ou seja, os países mais desenvolvidos. No geral, a tendência das mercadorias com alto conteúdo tecnológico é serem valorizadas no mercado internacional, enquanto as mercadorias primárias têm preços menos estáveis e podem sofrer desvalorizações repentinas.

---

[3] SOUZA, Jessé José Freire. *A elite do atraso: da escravidão à Lava Jato*. Rio de Janeiro: Casa da Palavra/LeYa, 2017.

A consequência dessa disparidade é que, para saldarem a sua pauta de importações, os *países periféricos*[4] precisam conseguir exportar muito, e vivem sob risco frequente de impactos indesejáveis em seus balanços de pagamentos[5]. Muitas vezes, isso os obriga a desvalorizar suas moedas nacionais.

Celso Furtado escreveu, ainda na década de 1970, que os países periféricos têm uma vocação inflacionária, o que dificulta a administração pública e castra a população de conforto econômico. Uma característica deles é que as fontes principais das demandas não estão dentro de suas fronteiras nacionais, mas em outros países. Assim, uma diminuição da necessidade que os chineses têm de soja, para citar um exemplo atual, pode pôr em crise a economia brasileira.

Outro problema advindo da configuração econômica da sociedade brasileira é a ciclicidade[6] de preços da mercadoria primária. Esse foi um desconforto que assolou o Brasil, especialmente na transição do século XIX para o século XX. Quando o preço das *commodities*[7] estava alto, os produtores tinham a tendência de aumentar suas plantações para aproveitar os bons preços. Tal feito acabava inundando de produtos o mercado internacional, levando à redução de preços e fazendo com que os produtores demitissem trabalhadores. Naquele Brasil do começo do século XX, tal condição tinha graves consequências sociais: tirava

---

[4] "Países periféricos" são aqueles que participam da economia internacional apenas como fornecedores de mercadorias primárias. Tais países formam um grupo específico de nações reconhecidas pela baixa autonomia na política internacional e, não raro, por problemas sociais crônicos ligados à desigualdade social, à oferta de emprego e à baixa qualidade de vida de seu povo.

[5] A "Balança de Pagamentos" ou "Balanço de Pagamentos" é o conjunto de registros que o país possui para controlar tudo o que ele compra e vende. Quando um país tem suas importações maiores que as suas exportações (ou seja, quando um país mais compra do que vende) se diz que a "Balança de Pagamentos" está deficitária, situação esta que pode precisar de correção.

[6] Geralmente as economias agroexportadoras são sujeitas a ciclos ditados pela quantidade de mercadoria que é produzida (o preço varia conforme a lei da oferta e da procura) ou por condições derivadas das transformações ambientais (esgotamento dos solos, mudanças climáticas etc.). Mesmo economias mineradoras são sujeitas a ciclos, determinados pela importância que determinado bem mineral tem para o mercado em determinada época. Um exemplo disso é o salitre chileno, que foi o principal fertilizante nitrogenado do século XIX até ser substituído pela ureia, o que fez o salitre ter sua importância reduzida no mercado.

[7] Termo em inglês que significa simplesmente "mercadoria". Contudo, para o comércio internacional, *commodity* significa mercadorias produzidas em escala com baixa sofisticação tecnológica e passíveis de estocagem. A soja, o boi gordo, o minério de ferro e o suco de laranja são exemplos de *commodities*.

Países centrais	Países periféricos
+ absorção de mão de obra rural	- absorção de mão de obra rural
+ ganho de progresso técnico	- ganho de progresso técnico
+ ganho de produtividade	- ganho de produtividade
+ exigência de novos investimentos	- exigência de novos investimentos
+ dinamização da economia	+ dependência de tecnologia e investimentos estrangeiros

Hierarquia internacional entre países de "centro" e países de "periferia"
O diagrama expressa a leitura feita por Fágner J. M. Medeiros e Daniel D. V. Cosentino das teses de Raúl Prebisch (1901-1986) sobre a contradição inerente que existe entre as relações comerciais entre países centrais e periféricos. A partir do momento em que uma sociedade se especializa na produção de mercadorias primárias, ela tende a perder capacidade inventiva e a absorver quantidades menores de mão de obra, tornando-se, via de regra, menos inclusiva.

Adaptado de: MEDEIROS, Fágner João Maria; COSENTINO, Daniel do Val. Celso Furtado e Raúl Prebisch frente à crise do desenvolvimentismo da década de 1960. *Revista de Economia* (UFPR), v. 41, pp. 150-179, 2020.
Cartográfo: Tito Lívio Barcellos Pereira

muito da estabilidade da oferta de trabalho e obrigava os trabalhadores rurais a viverem de forma instável, com longos períodos sem emprego[8].

Não faremos aqui um perfil histórico pormenorizado de todos os ciclos econômicos do Brasil. Mas é preciso dizer que, por volta de 1900, a situação econômica do Brasil era insustentável. As estruturas econômicas eram insuficientes e serviam como uma triste moldura para a reprodução de uma sociedade arcaica, sem instituições capazes de conter a crescente violência social no campo e na cidade. A sociedade brasileira das primeiras décadas do século XX pedia por mudança, e essa mudança veio em 1930, com uma ação política de larga envergadura que instituiu novas estruturas no Estado brasileiro, transformando radicalmente o país.

---

[8] GREMAUD, Amaury Patrick; VASCONCELLOS, Marco Antonio Sandoval de; TONETO JUNIOR, Rudinei. *Economia brasileira contemporânea.* São Paulo: Atlas, 2017.

2. A formação do povo brasileiro

2.1 A superexploração do trabalho

É hora de perguntar: como se formou a sociedade brasileira? Essa é por certo uma das perguntas mais difíceis que as ciências humanas têm para responder. Sobre o assunto se debruçaram grandes cientistas sociais como Darcy Ribeiro (1922-1997), Gilberto Freyre (1900-1987) e Sérgio Buarque de Holanda (1902-1982).

Uma das raízes profundas da formação social do povo brasileiro está na superexploração do trabalho. Nascido como colônia desde cedo dedicada a servir os mercados europeus, o Brasil teve um começo difícil. A chocante opulência dos grandes proprietários de terras contrastava com a exploração sem piedade das populações indígenas e negras, que trabalhavam em troca de comida e submetidas a duros castigos físicos. Com o tempo surgiu uma classe de homens livres e pobres, que também sofriam em minúsculas propriedades rurais ou em empregos com baixíssima remuneração nas zonas urbanas.

Esses fatores combinados criaram uma estrutura social desigual, somada a uma cultura autoritária e desrespeitosa para com o trabalhador que sempre teve como característica a baixa remuneração.

2.2 A Lei de Terras de 1850 e a tragédia do latifúndio

A sociedade brasileira é produto de uma sobreposição de processos violentos que acabou por formar uma sociedade sofrida, ainda que altamente viável. Todos os teóricos que nós citamos fizeram suas considerações com base em profundos estudos históricos do processo de colonização do Brasil, tanto na formação das grandes estruturas econômicas quanto na configuração da esfera dos costumes.

Assim, salta aos olhos, em todo livro que se lê a respeito do assunto, a prevalência da identificação do latifúndio na base de uma economia apoiada na superexploração do trabalho e na escravidão, que foi, sem sombra de dúvida, a força motriz no modo de construção da sociedade brasileira.

No Brasil, a posse da terra foi percebida pelas elites como um instrumento de controle social e de manutenção do *status quo*. Assim, no século XIX, instrumentos legais foram criados para dificultar a aquisição da terra por quem já a ocupava e trabalhava nela, o que trouxe consequências sociais profundas.

Bem diferente foi a política fundiária de outros países, como os EUA. Lá, a posse da terra era dada, oficialmente, a quem estava nela trabalhando, como uma política de ocupação territorial.

Nos EUA, uma das formas de aquisição de terras era a posse ou ocupação. A lei permitia a quem trabalhasse na terra demarcar uma área de até 150 acres e tornar-se seu proprietário. O fato de morar e trabalhar na terra fazia do lavrador um proprietário perante a lei. Isso promoveu justiça distributiva e fez a economia do país crescer permanentemente, de maneira sustentável. Para viabilizar a atividade econômica da propriedade, o Estado americano viabilizava o acesso construindo estradas e ferrovias.

No Brasil, a posse da terra foi regulada pela *Lei de Terras*, de 1850, instituída alguns anos antes que a sua equivalente estadunidense. A lei brasileira definiu que a forma de alguém se tornar proprietário de terra seria pela compra. A lei também tornava possível a posse da terra por usucapião, quando então o candidato a proprietário da terra deveria provar em um cartório, para um escrivão competente, que ocupou continuamente uma porção de terra por vinte anos. Isso implicava uma série de problemas:

1º) Era quase impossível encontrar um cartório ou um trabalhador alfabetizado no Brasil do século XIX, sendo que quase ninguém que ocupou mesmo a terra teve condições de regularizar a situação de posse. Dessa forma, alguns se aproveitaram da situação e monopolizaram a posse de grandes áreas mediante o registro "cartorial". Tornou-se comum, inclusive com vários casos nos dias de hoje, a tomada, por meios violentos, de terras que famílias mais pobres ocupavam e trabalhavam por décadas.

2º) Os serviços notariais e de registro são exercidos em caráter privado, por delegação do poder público. No prazo de algumas gerações, alguns cartórios encerraram suas atividades e desapareceram. Este fato causou descontrole por parte do poder público acerca da propriedade da terra em regiões de colonização antiga no Brasil. Falsários profissionais conhecidos como *grileiros* providenciavam escrituras falsas em papel envelhecido com o timbre de cartórios extintos. Com esses documentos falsos, grileiros conseguem, até hoje, assenhorar-se de grandes extensões de terras, expulsar famílias e, muitas vezes, vencer disputas judiciais, quando estas acontecem.

Dessa maneira, as melhores terras brasileiras ficaram com relativamente poucas famílias de latifundiários que acumularam fortunas e ganharam ainda mais poder. A maior parte dos que ocupavam e trabalhavam originalmente nas terras foi abandonada *à própria sorte, sendo que boa parte continua sem rumo até hoje.*

2.3 A herança maldita da longa escravidão

Segundo Sidney Chalhoub[9], no começo do século XIX cerca de 40% da população brasileira era de escravos. Isso representou um duro começo para o Brasil, dado o alto grau de vulnerabilidade do escravo mesmo quando liberto. Na verdade, os escravos foram abandonados à própria sorte.

Sem nenhum tipo de ajuda governamental, as famílias alforriadas tinham dificuldades imensas de inserção social. O fato de uma família passar gerações vivendo de trabalho não remunerado e sem direito à propriedade impediu, obviamente, o acúmulo de qualquer forma de patrimônio. Criou-se, assim, a pobreza estrutural, uma marca característica do Brasil.

A cultura escravocrata é avessa à valorização do indivíduo e do trabalho, o que torna difícil a missão de implantar um capitalismo dinâmico no Brasil, país onde não existe uma cultura sadia de remuneração e de valorização do trabalho.

O latifúndio não apenas promoveu a desorganização da ocupação territorial, mas também implementou a desigualdade social nas relações de trabalho. Isso não aconteceu somente pela escravidão, mas também

---

[9] CHALHOUB, Sidney. População e sociedade. In: CARVALHO, José Murilo. *A construção nacional* (1830-1889). V. 2. Rio de Janeiro: Objetiva, 2012, pp. 37-81

pela relação que os grandes proprietários de terra tinham com os pequenos proprietários de terra. Celso Furtado apresenta essa questão como "a dicotomia entre o latifúndio e o minifúndio"[10].

O Instituto Nacional de Colonização e Reforma Agrária (INCRA) estabelece que o "minifúndio" é uma porção de terras tão pequena que chega a ser insuficiente para garantir a subsistência de uma pequena família. O minifúndio era usado pelos grandes senhores de terra como uma reserva de mão de obra. Os pais de família possuidores dos minifúndios, por não conseguirem sustentar suas famílias com pequenas extensões de terra, necessitavam vender sua força de trabalho para os grandes proprietários, que exploravam, por apenas alguns períodos do ano, essa fonte de mão de obra barata.

O dono do minifúndio, não raro, precisava trabalhar em troca de comida para sustentar a sua família. Como não existiam condições para qualquer tipo de prosperidade, sua vida material se atrelava, quase totalmente, à existência do latifúndio. Com isso, a pequena propriedade de terra se convertia em uma prisão, sendo que a superexploração do trabalho cumpria a função de "carcereira".

3. A formação do Estado brasileiro

Já descrevemos de forma breve os grandes traços da formação econômica do Brasil em seus primeiros três séculos de história. Foram épocas cheias de contradições que tiveram impacto profundo sobre a formação da sociedade brasileira.

Como já afirmamos, no começo do século XX a situação da nação era insustentável. Mas, antes de prosseguirmos com os acontecimentos que levaram o Brasil a transformar fortemente sua estrutura produtiva, devemos escrever algumas notas sobre o processo de formação do Estado brasileiro, que guarda particularidades, principalmente no contexto sul-americano.

---

[10] FURTADO, Celso. *Formação econômica da América Latina*. 2. ed. Rio de Janeiro: Lia, Editor S.A, 1970.

A POPULAÇÃO ESCRAVA NO BRASIL DO SÉCULO XIX

Ainda não há clareza sobre a porcentagem de população escrava no Brasil do século XIX, mas mesmo as estimativas mais conservadoras não são boas e ajudam a explicar a pobreza estrutural no Brasil. Jessé de Souza, em seu importante livro *A elite do atraso*[11] (2017), afirma que chegamos a ter uma percentagem de 70% de população escrava. Porém existem estimativas mais conservadoras a respeito desse número.

Uma estimativa mais conservadora é a de Sidney Chalhoub, que, em sua contribuição para o segundo volume da coleção *A construção nacional* (2012), organizado por José Murilo de Carvalho, afirma que a população escrava no Brasil diminuiu durante a segunda metade do século XIX, devido a uma série de fatores demográficos e econômicos que colocaram a atividade escravista em decadência. Segundo o autor:

> "Vejamos o recenseamento de 1872 [o primeiro censo moderno do Brasil]. A população brasileira somava 9.930.478 habitantes, divididos quanto à condição social, em livres 8.419. 672 (84,7%) e cativos 1.510.806 (15,2%). Essa proporção era baixa em relação ao que fora durante toda a primeira metade do século XIX, quando as projeções mais comuns estimavam a população cativa entre 30-40% da população do país."[12]

Em 1850, foi posto fim ao tráfico negreiro, e isso contribuiu para enfraquecer a prática escravista no Brasil. O morticínio causado pela epidemia de cólera entre 1855 e 1856 também diminuiu o número de escravos, em uma época em que essa população já tinha um índice de natalidade relativamente baixo.

No mesmo livro, encontramos o texto "A vida política", de autoria do próprio José Murillo de Carvalho. Nesse texto, o autor afirma, quando comenta a Lei do Ventre Livre de 1871, que, por conta de tal lei:

> "Muitos proprietários preferiam libertar os seus escravos a sofrer a interferência do governo ou correr o risco de rebelião. A população escrava sofreu uma redução substancial. Entre 1873 e 1887 ela passou de 1,5 milhão para 723 mil, devido a mortes e à manumissão. Aumentou também a concentração de escravos nas províncias cafeicultoras, que passou de 57% para 67%."[13]

Mesmo com números mais conservadores, devemos considerar que, com os recursos tecnológicos do século XIX, as estatísticas eram falhas. Fora isso, depois de liberto, o antes escravo era entregue à própria sorte e caía em indigência na maior parte dos casos.

3.1 O roteiro para a independência

O Brasil foi uma colônia que ficou independente de Portugal na terceira década do século XIX. Certamente, o processo de formação

---

[11] SOUZA, Jessé José Freire. *A elite do atraso: da escravidão à Lava Jato*. Rio de Janeiro: Casa da Palavra/LeYa, 2017.

[12] CHALHOUB, Sidney. População e sociedade. In: CARVALHO, José Murilo. *A construção nacional* (1830-1889). V. 2. Rio de Janeiro: Objetiva, 2012, pp. 41-42.

[13] CARVALHO, José Murilo. A vida política In: CARVALHO, José Murilo. *A construção nacional* (1830-1889). V. 2. Rio de Janeiro: Objetiva, 2012, p. 114.

do Estado brasileiro vai muito além do ato da independência do dia 7 de setembro de 1822. Foi gradual: começa com a vinda da família real para o Brasil em 1808 e se conclui com a Proclamação da República em 1889. A consolidação do Estado brasileiro só aconteceu quando a instituição pública brasileira se viu completamente livre da influência direta de Portugal[14].

Em 22 de janeiro de 1808 a família real portuguesa desembarcou em Salvador fugindo da iminente ocupação de Portugal por forças napoleônicas. Alguns dias depois, partiu para o Rio de Janeiro, aonde chegou em 8 de março. A família real portuguesa instalou-se, assim, em sua colônia da América do Sul, dando a ela estruturas típicas de um Estado.

Travaram-se, então, duas lutas: uma fora das fronteiras do território que Portugal havia consolidado desde 1777, com o tratado de Santo Ildefonso, cujo objetivo era estender os domínios portugueses por toda a bacia do rio da Prata, além de tomar a Guiana Francesa de Napoleão Bonaparte. A outra luta aconteceu dentro do próprio território brasileiro, e o seu objetivo era fazer com que os diferentes poderes locais aceitassem a autoridade imperial.

O processo de independência resultou do surgimento da rivalidade entre a elite portuguesa e a elite brasileira no contexto de reformas políticas do mundo pós-napoleônico[15]. Da forma como aconteceu, a independência do Brasil foi uma tentativa da família

---

[14] BANDEIRA, Moniz. *O expansionismo brasileiro e a formação dos Estados na bacia do Prata: Argentina, Uruguai e Paraguai, da colonização à Guerra da Tríplice Aliança*. 3. ed. Rio de Janeiro: Revan; Brasília: Editora da Universidade de Brasília, 1998

[15] O termo se refere ao mundo do século XIX, uma vez que a ordem política daquele século foi fundada com o fim das "Guerras Napoleônicas". As guerras promovidas sob a liderança política de Napoleão Bonaparte, entre 1803 e 1815, representaram a continuação dos conflitos internacionais ocorridos com os desdobramentos da Revolução Francesa. Após a derrota dos exércitos de Napoleão, o *Congresso de Viena*, que começou em setembro de 1814 e estendeu-se até junho de 1815, trouxe grandes mudanças nas fronteiras europeias. Naqueles anos, a Inglaterra consolidou-se como potência hegemônica e o liberalismo econômico tornou-se um princípio de grande influência na organização da economia internacional.

Orléans e Bragança de continuar como grupo dominante em dois países independentes: Brasil e Portugal.

Por essa interpretação, o processo de independência do Brasil é notável, e se destaca dos seus congêneres sul-americanos pela sua estabilidade. Enquanto as nações do entorno estratégico brasileiro precisaram fazer guerra contra o colonizador espanhol, no mundo luso tal processo se deu pela negociação, sendo que os choques armados do processo de independência brasileiro se resumiram a quarteladas de unidades militares avessas à independência do Brasil.

Tais quarteladas foram choques de proporções muito menores do que as guerras conduzidas pelas forças de Simon Bolívar (1783-1830) pela libertação da Venezuela, da Colômbia, do Peru e da Bolívia; ou o processo de independência argentino, que levou à dissolução de todo o vice-reinado do rio da Prata e fundou Estados como o Paraguai e o Uruguai. O povo da Argentina foi submetido a cinquenta anos de guerra civil, em um processo confuso e violento de dissolução da unidade administrativa colonial e uma lenta e imperfeita reunificação entre 1810 e 1861.

É importante fazer essa rápida, e até esquemática, explanação sobre o processo de independência e formação dos nossos Estados vizinhos, com a intenção de fazer uma comparação sumária com o nosso caso.

Enquanto o nosso processo de independência se deu por transição, na América espanhola esse processo se deu por ruptura, o que fez o Brasil começar a sua vida independente de maneira mais organizada, com estruturas sólidas no que toca o sistema tributário, o serviço diplomático e as Forças Armadas.

Nossos vizinhos hispânicos precisaram improvisar suas estruturas de Estado, enquanto o Brasil herdou as dele de Portugal. Assim sendo, apesar de todos os problemas econômicos e de uma estrutura social arcaica, o Brasil começa como um Estado organizado, que reprime as rebeliões internas contra o poder monárquico. Além disso, intervém militarmente no processo de independência dos vizinhos com o objetivo de estender os domínios do Brasil até os confins da bacia do rio da Prata, território onde hoje se assenta a Argentina[16].

Essas guerras constituíram-se em, pelo menos, seis intervenções armadas em território que hoje constitui o Uruguai e uma grande intervenção em Buenos Aires, em 1852, que acabou por depor o presidente Juan Manuel Rosas (1793-1877). Essa sequência de intervenções, que atestava a superioridade organizacional e a capacidade militar do Império Brasileiro, é um dos gérmens de nossa política externa. Se por um lado ela foi importante para a consolidação do Estado brasileiro, por outro gerou uma sequência de rancores que dificultaram a nossa política externa para o continente até pelo menos a primeira metade do século XX.

A consequência mais nefasta dessa política de intervenções foi a Guerra da Tríplice Aliança (1864-1870), que, segundo Moniz Bandeira (1998), foi uma tentativa do Paraguai de fundar uma terceira posição no equilíbrio de forças regional, o que resultou em sua destruição depois de cinco anos de luta contra o Império do Brasil, a Argentina, recém-fundada, e o Uruguai.

3.2 O papel da Guerra da Tríplice Aliança contra o Paraguai (1864-1870) na formação do Estado brasileiro

A Guerra da Tríplice Aliança contra o Paraguai foi a maior tragédia sul-americana. Ela resultou na destruição do Paraguai e no quase extermínio de sua população, especialmente a masculina. O Brasil imperial teve suas finanças arruinadas e passou a lidar com uma séria crise política, causada pela politização das Forças Armadas e pelo crescimento do movimento republicano no Brasil.

A Argentina foi o único país sul-americano que teve benefícios com o conflito, pois a guerra serviu para consolidar o Estado Nacional

---

[16] BANDEIRA, Luiz Alberto Moniz. *O expansionismo brasileiro e a formação dos Estados na bacia do Prata: Argentina, Uruguai e Paraguai, da colonização à Guerra da Tríplice Aliança*. 3. ed. Rio de Janeiro: Revan; Brasília: Editora da Universidade de Brasília, 1998.

argentino e, principalmente, para formar uma burguesia agropastoril rica e competente[17].

Durante a guerra, os estancieiros argentinos abasteceram as forças aliadas com víveres, levando ao acúmulo de capital por parte desses agentes. Na década de 1880, a Argentina era o país mais rico da América Latina, enquanto o Brasil era uma monarquia decadente. O clima de revanchismo entre Brasil e Argentina permaneceu até a década de 1980, com pontos de grande instabilidade[18].

O problema da politização das Forças Armadas, em muito motivada pelo crescimento do Exército brasileiro, dada a necessidade de combater no Paraguai, estava relacionado com a profunda questão moral causada pelo uso de escravos como força de combate, o que colocou o Exército contra a família real. No Paraguai, os soldados escravos lutavam tendo a promessa de alforria e sem os equipamentos mais adequados, que eram usados somente pelos sodados brancos.

3.3 Cai a Monarquia e surge a República

O crescimento do republicanismo nas fileiras do Exército levou à deposição da monarquia no dia 15 de novembro de 1989 e à instalação de um governo republicano que, logo de início, já tinha dificuldades para governar.

---

[17] BANDEIRA, Luiz Alberto Moniz. *O expansionismo brasileiro e a formação dos Estados na bacia do Prata: Argentina, Uruguai e Paraguai, da colonização à Guerra da Tríplice Aliança.* 3. ed. Rio de Janeiro: Revan; Brasília: Editora da Universidade de Brasília, 1998.
DORATIORO, Francisco. *Maldita guerra: nova história da Guerra do Paraguai.* São Paulo: Companhia das Letras, 2002.

[18] Brasil e Argentina viveram mais de um século de rivalidade, sendo que a cooperação estreita entre os dois países é um fenômeno recente, que data do final do século XX. As contradições do processo de formação de Estado levaram os dois países a disputar a liderança regional e a problemas fronteiriços muito mais pontuais, mas ainda profundos. Na década de 1970, a rivalidade acontecia por conta do aproveitamento energético da bacia do rio da Prata, que culminou com a construção da Hidrelétrica de Itaipu, situação em que o Brasil saiu vitorioso. Em 1982, em uma ação internacional visivelmente falha, a Argentina ocupou militarmente as Ilhas Malvinas, o que provocou um conflito militar de proporções reduzidas entre a Argentina e o Reino Unido, mas que humilhou e isolou a Argentina. Apesar de ter na Argentina o seu principal rival, o governo brasileiro foi solidário à Argentina, solidariedade esta que se materializou na doação de armas durante o conflito e na ajuda econômica e diplomática para que o país sobrevivesse ao isolamento diplomático promovido pelos países de capitalismo central no pós-conflito. Tais acontecimentos deram condições para que se inaugurasse, muito tardiamente, uma esfera de cooperação entre Brasil e Argentina.

O governo republicano adotou para o Brasil um modelo federativo demasiadamente aberto, quase uma réplica do modelo dos EUA, o que levou à disputa territorial entre os estados brasileiros, como aquela, entre Paraná e Santa Catariana que serviu de pano de fundo da Guerra do Contestado, entre 1912 e 1916[19].

A Primeira República (1889-1930), também chamada de *"República Velha"*, foi um período da nossa história caracterizado pela violência e pela insuficiência administrativa do Estado Nacional. Segundo Amado Cervo e Clodoaldo Bueno[20], a deposição da elite política do Império, até certo ponto capaz de gerir a administração pública, levou à deterioração crescente das condições administrativas do Estado brasileiro.

Internamente, o Brasil viveu o dilema da dificuldade da organização política. As revoltas regenciais[21], entre as décadas de 1830 e 1840, mostraram o comportamento irredento das elites regionais, que não aceitavam a autoridade do poder central, instalado pela família real desde 1808, quando chegou de Portugal.

A dicotomia entre um Estado forte, com vontade de centralização, em contraste com o comportamento localista das elites, que pediam um Estado federativo, foi uma marca nítida da vida pública brasileira desde a independência.

---

[19] A Guerra do Contestado foi um confronto entre camponeses posseiros antirrepublicanos e o governo federal no começo do século XX. Os camponeses tiveram suas terras confiscadas pelo governo federal para a construção de uma ferrovia financiada pelos Estados Unidos. Revoltados, os camponeses organizaram uma guerra de guerrilhas contra a expedição do Exército enviada pelo governo federal para manter a ordem na região e contra as forças policiais dos estados do Paraná e Santa Catarina, que tinham os seus territórios envolvidos na insurreição. Antes da contenda, ainda no ano de 1900, Santa Catarina já havia reivindicado territórios do sul do Paraná, Durante a contenda, a rivalidade entre os dois estados interferiu na coordenação das operações do conflito.

[20] CERVO, Amado Luiz; BUENO, Clodoaldo. *História da política exterior do Brasil*. Brasília: Unb, 2002.

[21] O período regencial compreende os anos de 1831 a 1840, em que a monarquia brasileira ficou sem rei, uma vez que Dom Pedro I havia abdicado e Dom Pedro II ainda não tinha idade para assumir o trono. Foram anos de intensa inquietude social, com o poder central desafiado em quase todas as províncias, processo que chegou ameaçar a unidade nacional. Tal inquietude fez surgir as assembleias legislativas estaduais e motivou outras reformas de Estado de grande envergadura. Porém nem todas as manifestações contra o poder central eram de caráter popular. Das quatro grandes revoltas regenciais, a Cabanagem (1835-1840) e a Balaiada (1838-1841) foram movimentos populares, enquanto a Revolução Farroupilha (1835-1845) e a Sabinada (1834-1837) foram movimentos conduzidos pelas elites.

De um lado, o poder central, de aparência monolítica e com vontade de monopolizar os recursos dos impostos e impor leis nacionais de seu interesse. Do outro, as elites locais, descendentes dos patriarcas do Brasil açucareiro, zelosas pelos seus interesses econômicos, e provincianas em seus costumes.

Tal contradição foi percebida mesmo por autores conservadores, como Golbery do Couto e Silva[22]. Para ele, o contraponto existente entre as elites regionais e o poder central implicaria em ciclos históricos de maior fechamento do Estado, nos quais a organização política brasileira tenderia a ser unitária, e momentos de maior abertura. Golbery chamou os primeiros de "sístoles" e os segundos de "diástoles". Neste último caso, a organização do Estado tenderia a ser federativa.

O período monárquico (1822-1889), parte da era Vargas (1930-1954) e o período da Ditadura Militar, iniciado em 1964 e encerrado em 1985, foram momentos em que o sistema brasileiro esteve mais fechado, com menor autonomia das unidades federadas.

É verdade que os países de grande extensão territorial, como o Brasil, a Rússia, os EUA e, embora bem menor, a Argentina, possuem estruturas federativas de organização. Esse arranjo é inevitável frente ao conjunto de pressões políticas e sociais a que uma grande sociedade é submetida. Contudo, a dinâmica referente à centralização *versus* descentralização é uma característica mais brasileira.

3.4 A vulnerabilidade da economia agroexportadora e a precariedade da indústria no início do século XX

Às portas da Primeira Guerra Mundial (1914-1918), a situação do Estado brasileiro era crítica. O país definhava tanto pela ineficiência das instituições da Primeira República quanto pela vulnerabilidade da economia agroexportadora. Desde 1906, com o "Convênio de Taubaté", o governo brasileiro se comprometia a comprar café dos fazendeiros para a estocagem e garantia um preço mínimo para esse produto, que se encontrava em franca crise.

---

[22] SILVA, Golbery do Couto e. *Conjuntura política nacional: o poder executivo & geopolítica do Brasil*. 3. ed. Rio de Janeiro: José Olympio, 1981.

O café era uma mercadoria de baixíssima elasticidade[23], e o fato de o Brasil representar a principal produção cafeeira do mundo de então não significava que os próprios cafeicultores estivessem contentes com a sua condição. Por ser uma mercadoria de pouca importância na mesa de seus consumidores, facilmente substituído por uma variedade de chás, o café perdia mercado com muita facilidade e era muito vulnerável às crises internacionais.

Quando comparado a outras economias latino-americanas, como a chilena e a argentina, o Brasil ficava em inferioridade por uma série de razões: a primeira delas é que a elasticidade do café era bem menor do que do que a do cobre chileno, com mercado garantido entre as potências industriais; era menor também que a do cereal e da carne produzidos na Argentina, itens básicos da alimentação de várias populações ao redor do mundo.

Outra razão da fragilidade da economia brasileira era o fato de que a atividade cafeeira não estimulava a industrialização, ao contrário, tirava o seu ímpeto.

No Chile, por exemplo, a extração do cobre exigia um ferramental com tecnologias mais aprimoradas, muito demandante de manutenção. Assim, a necessidade de componentes de manutenção para as máquinas do extrativismo mineral requereu uma industrialização sumária que disponibilizasse, de forma rápida, os reparos e lubrificantes que a atividade extrativa demandava.

Fato parecido acontecia com a Argentina, onde a produção de grãos requeria fertilização de solos e estocagem, enquanto a pecuária tornava imperativa a complexa tecnologia da refrigeração, algo muito avançado na transição do século XIX para o século XX[24].

---

[23] "Elasticidade" é a variação da procura por uma dada mercadoria em razão de crise econômica ou alteração brusca de seu preço. Algumas mercadorias, por serem importantes para o mercado, têm sua demanda pouco alterada em função de um aumento de preço. O café, que é um produto alimentício secundário, numa crise, dificilmente manteria o seu preço em bons patamares.

[24] FURTADO, Celso. *Formação econômica da América Latina*. 2 ed. Rio de Janeiro: Lia, Editor S.A, 1970.

Colheita de Café. Reprodução.
Disponível: Página 259 https://biblioteca.ibge.gov.br/visualizacao/livros/liv37312.pdf

Charge. Reprodução.
Disponível em: http://rosangelal.blogspot.com/2014/02/atividades-p-58-9-ano.html

Trabalhadores do café, na transição do século XIX para o século XX. A atividade foi a última dos ciclos econômicos brasileiros. A cafeicultura teve uma importância fundamental, mesmo na sua decadência. Foi de grandes cafeicultores que partiram os recursos privados que ajudaram a financiar as primeiras fases do processo de industrialização para a substituição das importações brasileiras. Com a mão de obra excedente da cafeicultura exploraram-se espaços ainda não ocupados, como o do norte do Paraná e outros, fundamentais para a ocupação e integração do território brasileiro.

Fonte: Propagandopolis no Twitter: "A Brazilian man poses with his old poster of Getúlio Vargas in 1951, just after the election that saw Vargas return to power. **Disponível em:** https://t.co/skQ2wcj3xn" / Twitter: 1 abr. 2022.

Para sustentar-se como potência agropecuária, a Argentina precisava manter um dos grandes sistemas ferroviários do mundo[25], disposto em forma de leque e reforçando a capacidade carreadora dos diferentes rios

---

[25] Segundo Moniz Bandeira, a Argentina possuía o maior índice de quilômetros de ferrovia por habitante nos idos de 1920. Em números absolutos, ela só perdia para EUA, Alemanha, Grã-Bretanha, França e Áustria.

BANDEIRA, Moniz. A Guerra do Chaco. *Revista Brasileira de Política Internacional*, v. 41, n. 1, pp. 162-197, 1998.

da bacia do Prata. Tal sistema, possível com o investimento maciço de capital inglês, tornava obrigatória a existência de uma indústria de reparos.

No Brasil, a atividade cafeeira não demandava a existência de indústrias, e, quando muito, exigia estradas de ferro relativamente curtas, quando consideradas as reais necessidades estratégicas de ocupação do seu vasto território.

No século XIX, o Brasil tentara se lançar em um esforço industrializante, cujo principal representante foi o barão de Mauá (1813-1888). Esse esforço redundou em fracasso, em boa parte pela pressão inglesa de manutenção do *status quo*, já que o Brasil era um mercado farto para as mercadorias inglesas.

Outros dois fatos tiravam ímpeto da industrialização brasileira no século XIX: a limitada quantidade de carvão mineral em território nacional, que era a principal fonte de energia para a indústria da época, e a inexistência de universidades, que só iriam surgir na década de 1930 e teriam papel decisivo nessa superação[26].

Outro fator que prejudicou a industrialização brasileira, no contexto do século XIX, foi a longa manutenção da escravidão. Por não ser remunerado, o povo escravizado não formava um mercado interno consumidor, e isso era um grande empecilho para qualquer atividade de capitalismo avançado.

Assim, na contramão dos grandes países do Cone Sul, o Brasil chega às três primeiras décadas do século XX com o Estado Nacional frágil e sem contar com quase nenhum acúmulo industrial. Mesmo itens básicos, como agulhas, pregos ou botões para vestimentas, eram, geralmente,

---

[26] As universidades são agências muito importantes para o processo industrial. Isso porque elas não apenas formam mão de obra especializada por meio da atividade de ensino. Também pesquisam, estudam e produzem conhecimentos em ciência, tecnologia e sobre a realidade social da nação, conhecimentos esses disponibilizados à sociedade. Em resumo: um país que não tem uma rede de universidades bem montada terá dificuldade para fazer diagnósticos da própria situação e para elaborar soluções baseadas em seus problemas, com os recursos disponíveis. O Brasil do século XIX possuía problemas energéticos por causa da falta relativa de carvão, mas não conseguia fazer pesquisas para resolver esse problema. Já o Brasil do século XX sentiu falta do petróleo, mas conseguiu desenvolver e otimizar o uso das fontes de petróleo disponíveis e também foi capaz de desenvolver novos combustíveis. Isso aconteceu porque o país já possuía boas condições de produzir e aplicar conhecimento.

importados da Europa e dos EUA, o que provocava grande vulnerabilidade estratégica ao país. Havia poucas fábricas de itens sofisticados, e estas tinham dificuldades para se manter, por falta de infraestrutura, de mercado interno e de mão de obra.

3.5 Vargas e o fortalecimento institucional do Estado Nacional

Apoiado por importantes setores da sociedade, Getúlio Vargas chega ao poder em 1930 com a determinação de romper a letargia econômica e dar um grande salto no desenvolvimento brasileiro. A principal aposta foi na industrialização do país.

Para isso dar certo, era necessário estruturar o Estado com instituições públicas capazes de sustentar a nova realidade que estava por vir.

Entre várias outras decisões, foram estabelecidos o voto secreto, o direito de voto para as mulheres e os direitos trabalhistas. Importantes instituições para a ação do Estado também foram criadas, por exemplo: o Ministério do Trabalho, Indústria e Comércio, o Ministério da Educação e Saúde Pública, a Secretaria do Patrimônio Histórico e Artístico Nacional. Surgiram os parques nacionais, como o de Itatiaia e o da Serra dos Órgãos. Foram instituídos o Código Florestal, o Código das Águas, o Código das Minas.

Com instituições mais sólidas, o Estado brasileiro passou a ter condições de ser protagonista no planejamento do desenvolvimento do país.

Segunda Parte
—
A arrancada para o desenvolvimento

1. Getúlio Vargas no poder, o planejamento para a industrialização do país

A década de 1920 foi um período de mudanças, coisa que já se percebeu na Semana de Arte Moderna de 1922[1]. Por outro lado, a crise de 1929 trouxe graves consequências ao Brasil, que vivia situação de grande dificuldade. A Grande Depressão que assolou os países desenvolvidos acabou com a demanda por café e deixou os produtores brasileiros praticamente sem mercados. Esse foi o fator internacional determinante para a mudança de rumos da economia nacional.

A enorme recessão mundial estabeleceu um imperativo estratégico para o Brasil, que não dispunha, à época, de grupos econômicos com capacidade de investimentos significativos, e muito menos, condições de resistir à avassaladora crise a que o mundo chegou.

O primeiro governo de Getúlio Vargas (1930-1945) implementou, com decisivo apoio estatal, um grande plano de industrialização baseado

---

[1] Também chamado de *Semana de 22*, o evento foi organizado no Teatro Municipal de São Paulo. Realizado no ano do centenário da independência do Brasil, sinalizou um processo de ruptura das artes e da cultura brasileira com os padrões europeus dominantes. Representou a afirmação da identidade do país. A *Semana de 22* reuniu os principais artistas brasileiros e acabou por demonstrar a insatisfação dos artistas com a ordem vigente, influenciando um processo de mudanças sociais profundas que chegaria, com mais ou menos força, a todos os setores da sociedade.

na substituição de importações, conhecido como *PSI* - Processo de Substituição de Importações (PSI). Com as suas particularidades, essa acabou sendo uma parte considerável da conduta governamental brasileira, em matéria de política econômica, até 1985. Esse processo passou a ser chamado, a partir de 1945, de *nacional-desenvolvimentismo*, recebendo nomes diferentes em outros países da América Latina que se atiraram a projetos similares ao brasileiro[2].

Apesar da política pública ostensiva de proteção ao mercado nacional, e de a forte participação estatal na economia não ser uma exclusividade brasileira, poucos países latino-americanos tiveram tanto sucesso como o Brasil nesse feito. Países como a Argentina, por exemplo, que já contava com algum suporte industrial, não tiveram sucesso em fechar o seu ciclo industrial, acabando por ter, em idos de 1960, um parque industrial menos completo e menos sofisticado que o brasileiro.

A crise de 1929 teve um papel central nesse processo, uma vez que ela rompeu com as grandes estruturas de dominação que davam forma ao mercado mundial. Reduziu, também, a pressão econômica e política que os países de capitalismo avançado faziam sobre os países periféricos para que estes se especializassem no setor agroexportador.

O mais importante: serviu para consolidar a consciência dos empresários do café a respeito da obsolescência de suas atividades. Se quisessem continuar como parte do centro dirigente dos rumos do país, os cafeicultores teriam que optar por atividades de produção mais sofisticadas, que agregassem mais conhecimento e valor às mercadorias produzidas. Essa atividade era a industrial.

---

[2] O termo *nacional-desenvolvimentismo* começou aparecer nos livros especializados logo após a Segunda Guerra Mundial. Refere-se ao conjunto de valores, objetivos e técnicas que deram forma à política econômica, em especial dos países da América Latina, a partir da década de 1930. Tal política se ancorava em protecionismo comercial, política regulatória rígida e participação coordenada do Estado em setores-chave da economia. Tal conduta teve diferentes graus de sucesso e tempos de duração. Argentina, Chile e Uruguai encerraram essa política na década de 1970, e o Brasil, na segunda metade da década de 1980. O Brasil é considerado um exemplo de sucesso. A conduta desenvolvimentista alicerçou governos muito diferentes, como o de Vargas, o de Dutra, o de JK, o de Goulart e o dos militares (1964-1985).

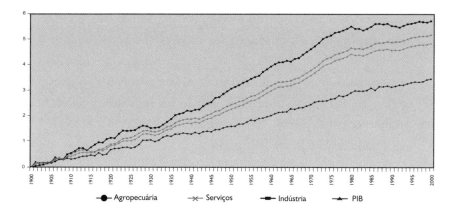

Papel do setor industrial para o crescimento econômico brasileiro no século XX
O gráfico ilustra o papel da indústria para a composição do PIB brasileiro durante o século XX. Notar que, em 1900, a importância do setor industrial era ligeiramente menor que a do setor primário, que já estava moribundo desde o final do século XIX. O crescimento do setor industrial significou o aumento da autonomia brasileira, o que possibilitou a integração territorial, a urbanização e a produção científica.

Fonte: INSTITUTO BRASILEIRO DE GEOGRAFIA E ESTATÍSTICA (IBGE). *Estatísticas do século XX*. Rio de Janeiro, 2006, SP.
Disponível em: https://biblioteca.ibge.gov.br/index.php/biblioteca-catalogo?id=237312&view=detalhes
Acesso: 2 abr. 2022.

1.1 O consenso para a industrialização, um pacto social nacional

A industrialização brasileira e latino-americana foi produto de um grande consenso entre os atores sociais nos países que optaram pelo processo de substituição de importações. Foram quatro os atores sociais que somaram forças para que o projeto industrial saísse do papel[3]:

- *A burguesia agroexportadora:* como vimos, a elite agroexportadora estava descontente com o seu ramo de atividade. Para o grande produtor de café, a industrialização significava uma atividade mais segura e mais rentável, menos sujeita a pragas e às intempéries climáticas. Significava maior independência em relação ao

---

[3] CERVO, Amado Luiz. *Relações internacionais da América Latina: velhos e novos paradigmas*. Brasília: Instituto Brasileiro de Relações Internacionais, 2001.

mercado internacional em crise e um meio mais eficaz de acúmulo de capital. Por esse motivo, grandes empresários, antes ligados à agricultura, atuaram ativamente para a industrialização do país, não apenas deslocando os seus capitais do setor agrícola para o setor industrial, mas também fazendo uso de sua influência política, criando organizações de classe como a Federação da Indústrias do Estado de São Paulo (FIESP).

- ***A massa trabalhadora:*** obviamente, quem mais sofria com as condições de trabalho oferecidas pela economia agroexportadora eram os trabalhadores rurais. Além de pouco rentável, a agricultura não permitia o sonho de um futuro melhor. No Brasil, o trabalhador rural não tinha a possibilidade de organização sindical e a exploração era mais cruel e menos visível. Já o trabalho na fábrica abria boas oportunidades de uma vida melhor que no campo.

- ***Os militares:*** os militares da década de 1920 foram grandes entusiastas e defensores do projeto industrial. Ajudou nisso o fato de a Primeira Guerra Mundial (1914-1918) ter mostrado para o mundo que os novos conflitos militares fariam uso cada vez maior de armas sofisticadas, cuja fabricação dependeria de máquinas e indústrias.

Com efeito, a história do século XX deixou claro que o embate militar entre potências exige não apenas a posse de máquinas de guerra, mas a capacidade nacional de produzir armas com autonomia.

Os militares brasileiros da década de 1920 estavam interessados em um parque industrial que suportasse a indústria de defesa, um desafio hercúleo que começou a dar os seus primeiros frutos concretos nos anos de 1950, e que conheceu o seu apogeu na década de 1970. Na década de 1930 as Forças Armadas brasileiras formaram militares como Mário Travassos (1891-1973), um defensor irrestrito da integração territorial do

Brasil e um entusiasta das conquistas tecnológicas da Segunda Revolução Industrial[4].

A transição da década de 1950 para a de 1960 viu surgir uma geração de militares com conhecimentos de ponta e de importância fundamental no desenvolvimento industrial brasileiro, como Ozires Silva (1931-), fundador da Embraer, Hugo Piva (1939-), um grande desenvolvedor da missílica, e Othon Luiz Pinheiro da Silva, um dos nomes mais importantes da indústria nuclear brasileira e "pai" do atual projeto do reator nuclear para submarinos da Marinha de Guerra. Como dissemos, já na década de 1920, existia no Brasil uma geração de militares cuja preocupação era integrar o território nacional e edificar parques industriais, ou seja, as duas chaves do nacional-desenvolvimentismo.

---

[4] Uma *revolução industrial* pode acontecer em um período relativamente curto da história, de poucas décadas, ou até mesmo poucos anos, em que um determinado grupo social aperfeiçoa de maneira radical seus sistemas de engenharia a partir do desenvolvimento de tecnologias específicas. Tal aperfeiçoamento reestrutura a produção e isso impacta as relações sociais, principalmente no que concerne às relações trabalhistas e à dinâmica do fluxo de informações, pessoas e mercadorias. Ainda que não seja uma tipificação universalmente aceita, é comum encontrarmos referências a *quatro revoluções industriais*.
A **Primeira Revolução Industrial** aconteceu no século XVIII, com o desenvolvimento da tecnologia do motor a vapor, que tornou possível a produção industrial. Aperfeiçoou o transporte marítimo, com o navio a vapor, e aperfeiçoou também os transportes terrestres, com as ferrovias.
A **Segunda Revolução Industrial** se deu na segunda metade do século XIX e foi marcada pelo desenvolvimento da energia elétrica, da indústria química e do motor a combustão interna. Isso otimizou os transportes, fazendo surgir o automobilismo e a aeronáutica.
A **Terceira Revolução Industrial** aconteceu na segunda metade do século XX e foi promovida pelo desenvolvimento da informática, que tornou acessível a tecnologia das telecomunicações para a população.
A **Quarta Revolução Industrial** está acontecendo na nossa época e é uma derivação direta da Terceira Revolução Industrial: ela se dá pelo desenvolvimento da inteligência artificial, do super desenvolvimento da internet, com a implantação da tecnologia de "nuvens", e do desenvolvimento de novos materiais e áreas do conhecimento, como a robótica e a nanotecnologia. A partir da Quarta Revolução Industrial, a maior parte das mercadorias e dos artefatos consumidos pela sociedade passa pelo uso de sistemas informacionais, seja em sua concepção, seja no gerenciamento de transporte e estocagem, o que torna a tecnologia um instrumento de poder ainda mais importante. Os críticos da Quarta Revolução Industrial, e mesmo alguns dos seus entusiastas, apontam para as consequências negativas que ela promove no mundo do trabalho: o maior índice de automação da sociedade tende a eliminar postos de trabalho, tornando o desemprego estrutural um problema crescente. Tal fenômeno também tira a força política do trabalhador, inibindo a atividade sindical, causando impactos negativos sobre os direitos trabalhistas.

- A **intelectualidade:** os intelectuais foram uma voz ativa na elaboração do projeto de um Brasil industrial – isso por várias razões. Em primeiro lugar, dentro da teoria social, a indústria é vista como uma prática social mais avançada de domínio da natureza.

  Fora isso, a universidade como instituição integrada e de preocupações universais surge no Brasil na década de 1930, por necessidade do projeto industrial. Diferentemente dos nossos vizinhos hispânicos, que possuíam instituições universitárias desde o tempo de colonização, no Brasil existiam poucas faculdades, mas isoladas e somente nas áreas de Direito, Engenharia e Medicina. As universidades surgem pela integração das faculdades disponíveis e pela incorporação de professores europeus, contratados especialmente para fortalecer as fileiras das novas instituições de ensino.

  As universidades possuíam a missão de formar quadros (cientistas, engenheiros, professores, administradores) para a nova sociedade industrial[5].

O que ficou conhecido como *nacional-desenvolvimentismo* se amparava numa espécie de grande acordo nacional, que durou cinco décadas e que teve caráter de pacto social[6]. Em vários momentos desse período, além do alto índice de crescimento, houve importantes benefícios sociais e culturais para a sociedade e para a estruturação do poder público.

Também é correto observar que o *nacional-desenvolvimentismo* foi, por um bom tempo, um esforço semelhante a uma "Frente Ampla" informal, que unificou em torno do objetivo industrial não só grupos sociais, mas

---

[5] Grandes intelectuais, como Celso Furtado (1920-2004), Ignácio Rangel (1914-1994) e Guerreiro Ramos (1915-1982), entre outros, cumpriram brilhantemente a missão de sistematizar o processo industrial brasileiro.

[6] Entendemos aqui como "pacto social" a cooperação estreita entre diferentes grupos sociais em torno de uma atividade econômica. Tal pacto pode ou não ser negociado: pode acontecer por um processo de negociação por parte das diferentes instituições representativas das classes ou pode ocorrer de maneira quase espontânea, ainda que este seja um caso muito mais raro.

também tendências políticas ligadas a Getúlio Vargas, Eurico Gaspar Dutra (1883-1954), Juscelino Kubitschek (1902-1976), João Goulart (1919-1976) e outras forças políticas concorrentes.

1.2 O sucesso do primeiro governo de Getúlio Vargas (1930-1945) no fortalecimento do Estado Nacional e na implantação da indústria como atividade de grande escala

Vargas pensou no projeto industrial dentro de uma esfera social mais ampla, que envolvia um esforço superlativo de organização nacional. Esse esforço incluía o reconhecimento e catalogação do território brasileiro, o que implicou a criação de instrumentos de governança muito importantes, como o Instituto Brasileiro de Geografia e Estatística (IBGE) e o Departamento Nacional de Produção Mineral (DNPM)[7]. O governo Vargas também foi fundamental para o estabelecimento de marcos regulatórios que permitissem a exploração segura, por agentes brasileiros, dos recursos naturais nacionais.

Além da regulação da exploração dos bens naturais, o governo Vargas estabeleceu condições seguras de regulação do mundo do trabalho por meio da CLT — a Consolidação das Leis Trabalhistas —, o que permitiu o desenvolvimento do capitalismo nacional com a expansão do mercado consumidor interno.

Importante destacar a força e a potencialidade do Brasil, se considerarmos que, cerca de 40 anos antes, o país ainda possuía as bases de sua produção centradas na escravidão, embora esta tivesse sido abolida oficialmente, mas não de fato, em 1888.

Do ponto de vista técnico, a política econômica varguista pode ser descrita, de maneira esquemática, pelos seguintes pontos:

1) proteção de setores do mercado interno;
2) política regulatória rígida;
3) investimento público nas indústrias de base.

---

[7] Extinto e substituído pela Agência Nacional de Mineração em 2017.

Como observamos anteriormente, dois fatores foram decisivos para criar as condições que contribuíram para o sucesso da iniciativa do governo federal da época:

1) mercado internacional recessivo;
2) amplos setores da sociedade brasileira dispostos a pactuar por um projeto nacional.

Pelo menos até o final de 1935, as ações governamentais se restringiram a proteger o mercado e aperfeiçoar a atividade regulatória, "domando" interesses estrangeiros em setores onde eles seriam inevitáveis. Na sequência, para apoiar os empreendedores nacionais, o governo brasileiro fundou empresas de cunho estratégico, as famosas "indústrias de base". Em 1945, o Brasil já podia contar com *"um parque industrial estatal"*[8], o alicerce que deu condições seguras para o desenvolvimento do nascente setor privado industrial, que também crescia e diversificava suas atividades.

Além de institutos de pesquisa e da primeira universidade no Brasil, várias indústrias estatais de base de grande porte, foram criadas no período. Destacamos, entre elas, a Companhia Siderúrgica Nacional (1941), a Companhia Vale do Rio Doce (1942), a Hidrelétrica do Vale do São Francisco (1945) e a Fábrica Nacional de Motores. Esta, criada em 1942 para a produção de motores aeronáuticos, acabou por ser uma das protagonistas no mercado brasileiro de caminhões, comprando projetos italianos da Alfa Romeo e produzindo versões criadas pela engenharia brasileira já a partir de 1949.

Consequências da Consolidação das Leis Trabalhistas (CLT)

O processo de industrialização induzida e o processo de ocupação territorial, modesto de início, tiveram desdobramentos importantes no segundo pós-guerra. O projeto varguista estabeleceu a rígida regulação do mundo do trabalho, o que propiciou dignidade salarial e seguridade

---

[8] Na primeira fase do PSI brasileiro, as indústrias estatais surgiam em apoio às indústrias privadas, em setores que o capital privado ainda não possuía condições de assumir.

social para a classe trabalhadora. Tal preocupação com o mundo do trabalho, além de criar um vigoroso mercado interno, gerou inclusão social e tornou Getúlio Vargas um dos chefes políticos mais queridos de nossa história. Note-se que ele implantou algo bem diferente do assistencialismo tão em moda nos dias de hoje.

Seu legado de compromisso com o mundo do trabalho começou a sofrer reveses a partir da instauração do governo militar, em 1964. Porém nada se aproximou da magnitude dos ataques aos direitos sociais e trabalhistas que ocorrem nos dias de hoje. Sem nenhuma contrapartida séria, em termos de incentivo ao desenvolvimento econômico, a consequência tem sido o enfraquecimento do mercado interno brasileiro e o crescente aumento das desigualdades.

1.3 Foco inicial no planejamento para o desenvolvimento

A conduta governamental constituía-se em proteger setores da economia que deveriam capitanear o crescimento industrial brasileiro e permitir que insumos estratégicos para esse fim entrassem no Brasil. Isso foi alcançado por meio de um protecionismo comercial seletivo, possibilitado por um sistema de câmbios múltiplos, que foi uma invenção brasileira.

No planejamento para o desenvolvimento do país, as atividades que deveriam capitanear o processo de industrialização deveriam ser, principalmente, as indústrias têxtil e a alimentícia. Nesses setores, a indústria europeia dominava amplamente o mercado interno brasileiro. O governo, então, passou a apoiar a criação de indústrias de capital nacional nesses e em outros setores, criando melhores condições para essas empresas atuarem no mercado.

A alta demanda por tecidos e alimentos industrializados (manteiga, geleias e enlatados), junto com a política protecionista do governo, fez com que florescesse no Brasil um parque industrial, com grandes perspectivas de progresso. Inicialmente, tal parque necessitaria de bens de capital (máquinas) e insumos (combustíveis, lubrificantes, reparos) importados, mas, com o passar dos anos, tais itens também passaram a ser fabricados no Brasil.

Eliseu Gabriel • Marcos Fávaro

> **Propagandopolis**
> @propagandopolis
>
> A Brazilian man poses with his old poster of Getúlio Vargas in 1951, just after the election that saw Vargas return to power.
>
> Traduzir Tweet
>
> 2:49 PM · 18 de nov de 2020 · Twitter for iPhone

POPULARIDADE DE GETÚLIO VARGAS
Um dos líderes mais carismáticos do século XX, Getúlio Vargas se fez querido entre a população mais pobre, que encontrou proteção e possibilidades de inserção social em sua política. Vargas foi um dos poucos líderes brasileiros a se indispor com a classe dominante para garantir seguridade social e integridade das instituições.

Reprodução: Disponível em: https://twitter.com/propagandopolis/status/1329119586231398401

Com esse projeto escalonado, que combinava uma ação governamental firme às capacidades de consumo do mercado brasileiro, a economia brasileira conseguiu alto grau de autonomia e independência da economia internacional, em um processo que foi conhecido como deslocamento do centro dinâmico da economia para o mercado interno[9].

O APRENDIZADO PARA O PLANEJAMENTO EM LARGA ESCALA

A atividade de planejamento, na década de 1930, dava apenas os seus primeiros passos. Segundo Betty Mindlin[10], as técnicas de planejamento do desenvolvimento econômico de um Estado Nacional, como um todo, foram desenvolvidas primeiramente nos países socialistas, sendo que a primeira atividade de planejamento em grande escala foi a adoção do chamado "Plano Quinquenal", na União Soviética, em 1929.

No Brasil, a partir de 1930, a ação do poder público para organizar a economia se deu por setores, sem propriamente um plano que englobasse o conjunto da nação. O primeiro plano mais abrangente, a ser batizado de plano de desenvolvimento, foi lançado em 1939, pelo governo Vargas. Foi o "Plano Especial de Obras Públicas e Aparelhamento da Defesa Nacional" (PEOOPADN), cujas diretrizes foram aperfeiçoadas em 1943 pelo "Plano de Obras e Equipamentos" (POE).

A atividade de planejamento no Brasil estaria amadurecida já no governo Dutra, com o lançamento do plano denominado SALTE (**S**aúde, **Al**imentação, **T**ransporte e **E**nergia), em 1948, quando os técnicos brasileiros assimilaram as *expertises* das comissões mistas Brasil-EUA para diagnósticos econômicos, realizadas entre 1942 e 1943 (Missão Cooke) e 1948 (Missão Abbink).

---

[9] FURTADO, Celso. *Formação econômica da América Latina*. 2. ed. Rio de Janeiro: Lia, Editor S.A, 1970.

[10] MINDLIN, Betty. *Planejamento no Brasil*. 5. ed. São Paulo: Perspectiva, 2003.

Eliseu Gabriel • Marcos Fávaro

CAMINHÕES DA "FÁBRICA NACIONAL DE MOTORES"

Fundada na década de 1940 para produzir motores aeronáuticos, a Fábrica Nacional de Motores (FNM) logo se converteu em uma poderosa fábrica de caminhões de grande importância para o desenvolvimento brasileiro. A empresa também produziu automóveis, que foram muito menos conhecidos pelo público geral.

Reprodução.
Disponível em: http://www.lexicarbrasil.com.br/fnm/

Reprodução.
Disponível em: https://jws.com.br/2014/03/sites-indicados-historia-do-caminhao-fnm/

Reprodução.
Disponível em: https://diariodoporto.com.br/fnm-rio-de-janeiro-lanca-caminhoes-eletricos/

Configuração do mercado de trabalho

As estatísticas sobre estrutura (ou configuração) do mercado de trabalho também aparecem pela primeira vez no AEB de 1936. São apresentados os resultados dos Censos de 1872, de 1890, de 1900 e de 1920, onde a população é dividida, "segundo as profissões", em três categorias: produção, transformação, circulação e distribuição de riquezas; administração e profissões liberais; e outras categorias. Para o Censo de 1920 há mais detalhes, com as "profissões" um pouco melhor especificadas em oito categorias, na verdade consoantes com ramos da economia (com exceção das "profissões liberais"). Os dados são apresentados por Unidade da Federação, capitais e Distrito Federal. Importa marcar que a categoria "outros" para os censos antes de 1920, e a categoria "diversas", neste último, incluem a "população sem profissão ou de profissão não declarada" (Anuário Estatístico do Brasil 1936, p. 55), compondo 71,3% do total. O anuário, portanto, não opera com o conceito de população economicamente ativa, o que torna a informação bastante parcial como medida da estrutura do mercado de trabalho. Dá-se o mesmo em 1938.

O AEB 1939/1940 elabora um pouco mais as mesmas informações, abrindo-as por novas profissões e descrevendo apenas a população ativa, conceito que passa a estruturar a apresentação dos dados[*]. Esta é uma mudança importante, que denota adesão ao menos parcial aos cânones internacionais de descrição da estrutura social e do mercado de trabalho já em operação, por exemplo, desde fins do Século XIX na França (CASTEL, 1998) e,

na Inglaterra, desde a incorporação pelo Estado da ideia de que o desemprego era um fenômeno econômico e não fruto do capricho divino, da preguiça ou da indolência do indivíduo. Coube a Beveridge a construção política da figura dos "legitimamente desempregados", isto é, dos trabalhadores que, tendo perdido seu emprego por razões alheias ao seu controle, se qualificaram a um seguro desemprego, a qualificação profissional e ao amparo do Estado na busca por novo emprego[**]. Os desempregados eram definidos por oposição aos ocupados, e estas duas categorias compunham, já no início do século, o conceito de população economicamente ativa.

Entre nós a noção de população ativa levou muito tempo para incorporar os desempregados, e a preocupação em mapear o desemprego só surgirá nos anos de 1960. A estrutura do mercado de trabalho até 1964, na verdade, só pode ser rastreada no AEB por indicadores muito resumidos. A população ativa (que a partir do AEB 1941/1945 é definida como população presente com 10 anos ou mais em atividade e recobre, de fato, a população ocupada) tem suas informações consignadas em uma seção

Trabalhador da Companhia Siderúrgica Belgo Mineira, em João Monlevade, MG. CPDOC/FGV.

---

[*] As profissões são: exploração do solo e subsolo, indústrias, transportes, comércio, força pública, administração, profissões liberais, pessoas que vivem de suas rendas, serviço doméstico. Há ainda de diversos, que inclui o rastro em alguns casos, a profissão propriamente dita ou outros, e ainda a condição social (menores), não exatamente profissional.

[**] BEVERIDGE (1988).

Reprodução. Disponível em: https://biblioteca.ibge.gov.br/visualizacao/livros/liv37312.pdf

A IMPORTÂNCIA DA INDÚSTRIA DE BASE, PARA A CONSTITUIÇÃO DO PARQUE INDUSTRIAL BRASILEIRO
A foto ilustra o início da siderurgia, como atividade de grande escala, no Brasil. A siderurgia, assim como a edificação das demais indústrias de base, era um desafio para a sociedade brasileira, não apenas pela sua complexidade tecnológica, como também pelo fato de a classe empresarial brasileira não possuir envergadura financeira para tal empreendimento. A solução foi a estatização do setor, com maciço investimento e atividade regulatória por parte do governo, impedindo que o capital internacional recolonizasse o setor.

Fonte: INSTITUTO BRASILEIRO DE GEOGRAFIA E ESTATÍSTICA (IBGE). *Estatísticas do século XX*. Rio de Janeiro, 2006, SP.
Disponível em: https://biblioteca.ibge.gov.br/index.php/biblioteca-catalogo?id=237312&view=detalhes Acesso: 2 abr. 2022.

Eliseu Gabriel • Marcos Fávaro

O primeiro governo de Getúlio Vargas aconteceu numa época de enormes tensões políticas no Brasil e no mundo que desembocaram na catastrófica Segunda Guerra Mundial. Apesar disso, a economia brasileira cresceu vigorosamente.

A seguir, apresentamos dados do IBGE e do Banco do Central sobre a variação do PIB naquele período, ano a ano:

1931	1932	1933	1934	1935	1936
-3,3%	4,3%	8,9%	9,2%	3,0%	12,1%
1937	1938	1939	1940	1941	1942
4,6%	4,5%	2,5%	-1,0%	4,9%	-2,7%
1943	1944	1945			
8,5%	7,6%	3,2%			

Carcará - Recordista de Velocidade - 46 anos.
Disponível em: http://www.pumaclassic.com.br/2012/06/carcara-recordista-de-velocidade-46.html

A INDÚSTRIA AUTOMOBILÍSTICA NACIONAL

Um dos principais símbolos do desenvolvimento foi a indústria brasileira automobilística. Não é do conhecimento do público em geral que existiram marcas brasileiras, mas na foto vemos o protótipo "Carcará", desenvolvido" pela Veículos e Máquinas Agrícolas (VEMAG), que, no ano de 1966, deu o recorde de velocidade latino-americano para o Brasil.

Fonte: http://www.pumaclassic.com.br/2012/06/carcara-recordista-de-velocidade-46.html Acesso: 20 dez. 2010.

2. Acaba a Segunda Guerra Mundial, sai Getúlio e é eleito Eurico Gaspar Dutra. O Plano SALTE

O Brasil ficou neutro nos primeiros anos da Segunda Guerra Mundial. Mas havia uma comunhão entre interesses:

- dos Estados Unidos em construir bases militares no litoral do Nordeste brasileiro;

- do Brasil em obter apoio técnico e econômico para sua indústria de base. Getúlio conseguiu o que queria com Roosevelt, o presidente norte-americano.

Em agosto de 1942, com o torpedeamento de navios brasileiros por submarinos alemães que causaram mais de mil mortes, além de manifestações populares, o Brasil declarou guerra à Alemanha nazista e à Itália fascista.

O fim da Segunda Guerra Mundial trouxe ares de mudanças e desejo de democracia.

Já em 18 de abril de 1945, o presidente Getúlio Vargas decidiu decretar anistia política. Assim, os atos tidos como crimes políticos, que ocorreram a partir de 1934, foram "perdoados". Importantes figuras de grande projeção nacional, como Luiz Carlos Prestes (1898-1990), líder do Partido Comunista Brasileiro (PCB), foram libertadas.

As mudanças continuaram com a liberdade de formação de novos partidos políticos.

Os mais importantes foram o **PSD** (Partido Social Democrata), o **PTB** (Partido Trabalhista Brasileiro), a **UDN** (União Democrática Nacional) que, inicialmente, era uma grande frente, e o **PCB**, fundado em 1922, que conquistou a legalidade. Vargas também marcou eleições para presidente da República e para o Congresso Nacional, as quais ocorreriam em 2 de dezembro de 1945.

Em 29 de outubro, pouco antes da data prevista para as eleições, Vargas foi afastado por um golpe do qual participaram muitos de seus aliados. Assumiu José Linhares (1886-1957), presidente do Supremo Tribunal

Federal (STF), que era o substituto do presidente da República de acordo com a Constituição de 1937. Dirigiu o país até a posse do novo presidente, em 31 de janeiro de 1946.

O eleito foi o general Eurico Gaspar Dutra, do PSD, com o apoio dos que queriam Getúlio Vargas na disputa eleitoral, conhecidos como *"queremistas"*. O general Dutra (PSD/PTB) teve 3.251.507 votos; o brigadeiro Eduardo Gomes (1896-1981), da UDN, conseguiu 2.039.341 votos; o candidato do PCB, Ledo Fiúza (1894-1995), obteve 569.818 votos.

Nessa eleição, também foram eleitos os membros da Assembleia Nacional Constituinte, encarregada de preparar uma nova Constituição para o Brasil.

Com grande maioria, acima de 50%, o PSD, foi o grande vencedor. A legislação da época o permitia, e Vargas foi eleito senador por São Paulo, pelo Rio Grande do Sul e, também, por sete estados como deputado federal.

Luiz Carlos Prestes foi eleito deputado federal pelo Rio Grande do Sul, Distrito Federal e Pernambuco, além de senador pelo Rio de Janeiro, com grande votação. Acabou sendo cassado em 1948, assim como toda a bancada do PCB.

A Assembleia Constituinte criou o cargo e, em setembro de 1946, Nereu Ramos (1888-1958) foi eleito vice-presidente numa eleição indireta.

Apesar do apoio recebido de Getúlio Vargas e seus aliados, Dutra logo se insurgiu contra os movimentos trabalhistas e contra os comunistas. Rompeu relações com a União Soviética e promoveu um alinhamento total com os Estados Unidos, que, à época iniciavam a chamada *guerra fria* contra o bloco soviético.

2.1. O Plano SALTE

Mesmo iniciando seu mandato com uma política econômica mais liberal, com menor participação do Estado na economia, e apesar do aumento da vinculação com os interesses dos americanos, o presidente Dutra, após algum tempo, acabou por dar sequência ao *desenvolvimentismo* implantado pelo presidente Vargas. Retomou o protagonismo do Estado como coordenador e indutor do desenvolvimento econômico do país. Em maio de 1948, lançou o Plano **SALTE**, que tinha como eixos de prioridades: **S**aúde, **A**limentação, **T**ransporte e **E**nergia.

Por um **Brasil Unido** e Forte

© Olga Dubrovina/istockphoto

A economia do Brasil continuou sua rota de grande desenvolvimento.
O crescimento do PIB nos anos governados pelo presidente Dutra
foram os seguintes:

1946	1947	1948	1949	1950
11,6%	2,4%	9,7%	7,7%	6,8%

3. Getúlio Vargas, eleito, volta ao poder em 31 de janeiro de 1951, e os anos do desenvolvimentismo continuam

Cinco anos depois do golpe que o tirou da presidência faltando poucos dias para encerrar seu mandato, Vargas vence a eleição por larga margem e volta a dirigir o país.

Ao contrário de Dutra, Vargas logo impõe uma política econômica de independência em relação aos Estados Unidos, num claro esforço de afirmação de nossa soberania e autonomia enquanto nação.

Porém, no início dos anos 1950 havia uma grande polarização política. Duas visões e interesses econômicos disputavam a condução da economia nacional. Por um lado, Getúlio, com o apoio de setores mais nacionalistas, estava decidido a fortalecer as empresas brasileiras, em particular a indústria. Por outro lado, grupos de empresários com interesses vinculados a capitais estrangeiros e apoiados pelos principais grupos de comunicação faziam duríssima oposição. Estes eram representados pela UDN.

Vargas tentou conciliar a situação, inclusive nomeando para o Ministério figuras representativas da UDN. Porém a situação se radicalizou, e o presidente reaproximou o governo e as organizações dos trabalhadores, que, aliás, estavam feridos pela postura hostil da gestão Dutra, e retomou o seu plano de desenvolvimento nacional.

Na década de 1950 foi fundada a Petrobras, que nasceu para cumprir importante papel de regulação. Ela surge com a missão de impedir que o petróleo nacional fosse explorado por corporações estrangeiras. Mais do que isso, ela tinha um importante papel para o mapeamento do petróleo no país e nasceu com a tarefa de regular o preço do combustível, impedindo que este flutuasse obedecendo aos "caprichos" do mercado internacional.

3.1 O suicídio de Getúlio Vargas

Em 24 de agosto de 1954, o presidente Getúlio Vargas comete suicídio. Isso acontece após ele sofrer enormes ameaças e pressões, incluindo acusações pessoais contra seus filhos, motivadas, na verdade, por interesses geopolíticos, em boa parte ligados à sua decisão de nacionalizar o petróleo com a criação da Petrobras.

Seu suicídio promoveu a comoção de uma população que o venerava, mas estava desestabilizada pela violenta intriga articulada por uma oposição feita por setores da elite política. A reação foi tão forte que as ruas do país inteiro foram tomadas por grandes massas humanas, com pessoas chorando, homenageando e protestando pela morte de seu grande líder.

Essa reação inesperada, acabou por obstruir o processo golpista em curso, que deveria levar novamente a nação a mais uma ditadura. O suicídio de Vargas atrasou em dez anos os acontecimentos que culminaram no Golpe de 1964 que depôs o presidente João Goulart, instalando no país a ditadura civil-militar que durou até 1985.

Crescimento do PIB no segundo governo Vargas:

| 1951: **5,0%**; | 1952: **7,3%**; | 1953: **4,7%**; | 1954: **7,8%** |

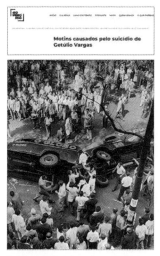 

Em protesto, manifestantes quebraram veículos do jornal de oposição *O Globo*. Fotógrafo desconhecido. Rio de Janeiro – 1954 – Agência O Globo.
Reprodução.
Disponível em: https://riomemorias.com.br/memoria/motins-de-suicidio-de-getulio-vargas/

"Cortejo Fúnebre de Getúlio Vargas", na Praia de Copacabana.
Reprodução.
Disponível em: https://www.mesalva.com/enem-e-vestibulares/exercicios/historia/populismo/populismo-lista-1/epopex8

A MORTE DE GETÚLIO VARGAS

O suicídio de Getúlio Vargas, em 24 de agosto de 1954, causou revolta e muita comoção popular. Na foto da esquerda, vemos a população enfurecida, depredando os carros do jornal *O Globo*. A imprensa foi apontada como grande difamadora de Vargas. Na foto da direita, a multidão toma a praia de Copacabana para se despedir e chorar a morte do presidente.

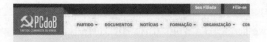

João Goulart, no velório de Getúlio Vargas.
Reprodução. Disponível em https://pcdob.org.br/noticias/centenario-de-joao-goulart-o-suicidio-de-getulio-vargas/

JOÃO GOULART, NO VELÓRIO DE GETÚLIO VARGAS
Herdeiro direto do trabalhismo varguista, João Goulart foi uma das maiores lideranças políticas populares brasileiras. Na foto, Goulart, no velório de Vargas, chora a morte do amigo, com a carta-testamento de Getúlio nas mãos.

Fonte: Centro de Memória Trabalhista. Acesso: 20 dez. 2010.
Disponível em: https://instagram.com/centrodememoriatrabalhista?igshid=32kee1tqqqz6

Por um **Brasil Unido** e Forte

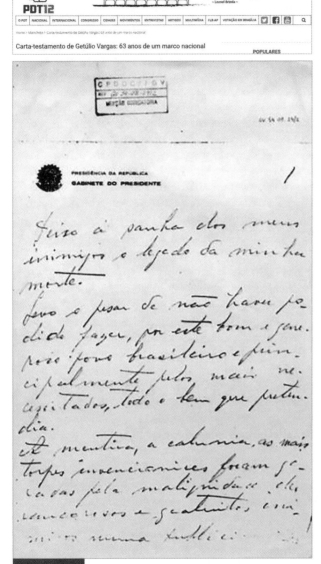

Carta-testamento de Getúlio Vargas: 63 anos de um marco nacional. Reprodução.
Disponível em: https://www.pdt.org.br/index.php/carta-testamento-de-getulio-vargas-63-anos-de-um-marco-nacional/

FOTO DA CARTA-TESTAMENTO DE GETÚLIO VARGAS
A carta-testamento de Getúlio Vargas é, com certeza, o documento mais famoso de sua figura histórica. Ela aponta para a vulnerabilidade do povo frente aos grupos de poder que dominam o país.

CARTA-TESTAMENTO DE GETÚLIO VARGAS[11]

"Mais uma vez as forças e os interesses contra o povo coordenaram-se e se desencadeiam sobre mim.

Não me acusam, insultam; não me combatem, caluniam; e não me dão o direito de defesa. Precisam sufocar a minha voz e impedir a minha ação, para que eu não continue a defender, como sempre defendi, o povo e principalmente os humildes. Sigo o destino que me é imposto. Depois de decênios de domínio e espoliação dos grupos econômicos e financeiros internacionais, fiz-me chefe de uma revolução e venci. Iniciei o trabalho de libertação e instaurei o regime de liberdade social. Tive de renunciar. Voltei ao governo nos braços do povo. A campanha subterrânea dos grupos internacionais aliou-se à dos grupos nacionais revoltados contra o regime de garantia do trabalho. A lei de lucros extraordinários foi detida no Congresso. Contra a Justiça da revisão do salário mínimo se desencadearam os ódios. Quis criar a liberdade nacional na potencialização das nossas riquezas através da Petrobras, mal começa esta a funcionar a onda de agitação se avoluma. A Eletrobrás foi obstaculizada até o desespero. Não querem que o povo seja independente.

Assumi o governo dentro da espiral inflacionária que destruía os valores do trabalho. Os lucros das empresas estrangeiras alcançavam até 500% ao ano. Nas declarações de valores do que importávamos, existiam fraudes constatadas de mais de 100 milhões de dólares por ano. Veio a crise do café, valorizou-se nosso principal produto. Tentamos defender seu preço e a resposta foi uma violenta pressão sobre a nossa economia a ponto de sermos obrigados a ceder.

Tenho lutado mês a mês, dia a dia, hora a hora, resistindo a uma pressão constante, incessante, tudo suportando em silêncio, tudo esquecendo e renunciando a mim mesmo, para defender o povo que agora se queda desamparado. Nada mais vos posso dar a não ser o meu sangue. Se as aves de rapina querem o sangue de alguém, querem continuar sugando o povo brasileiro, eu ofereço em holocausto a minha vida. Escolho este meio de estar sempre convosco. Quando vos humilharem, sentireis minha alma sofrendo ao vosso lado. Quando a fome bater à vossa porta, sentireis em vosso peito a energia para a luta por vós e vossos filhos. Quando vos vilipendiarem, sentireis no meu pensamento a força para a reação. Meu sacrifício vos manterá unidos e meu nome será a vossa bandeira de luta.

Cada gota de meu sangue será uma chama imortal na vossa consciência e manterá a vibração sagrada para a resistência. Ao ódio respondo com perdão. E aos que pensam que me derrotam respondo com a minha vitória. Era escravo do povo e hoje me liberto para a vida eterna. Mas esse povo, de quem fui escravo, não mais será escravo de ninguém. Meu sacrifício ficará para sempre em sua alma e meu sangue terá o preço do seu resgate.

Lutei contra a espoliação do Brasil. Lutei contra a espoliação do povo. Tenho lutado de peito aberto. O ódio, as infâmias, a calúnia não abateram meu ânimo. Eu vos dei a minha vida. Agora ofereço a minha morte. Nada receio. Serenamente dou o primeiro passo no caminho da eternidade e saio da vida para entrar na história."

---

[11] Disponível em: https://www.pdt.org.br/index.php/carta-testamento-de-getulio-vargas-63-anos-de-um-marco-nacional/#.YfHPynxxcQU. Acesso: 26 jan. 2022.

4. Os anos de JK e o Plano de Metas

Juscelino Kubitschek foi eleito presidente da República em 1955 e tomou posse em janeiro de 1956, após pressões golpistas serem rechaçadas por mobilizações populares e a decisiva ação do lendário general Humberto Teixeira Lott (1894-1984). Durante seu mandato sofreu mais duas significativas rebeliões militares: em Aragarças (GO) e Jacareacanga (PA). JK tornou-se o continuador do desenvolvimentismo nacional de Vargas, mas em bases diferentes.

4.1 Cinquenta anos em cinco

O lema da campanha de JK, *"Cinquenta anos em cinco"*, mostrou ter um lado verdadeiro, digno de otimismo. Propunha em apenas cinco anos de governo superar o atraso do país em relação às grandes potências mundiais. Por incrível que pareça, trouxe enormes avanços ao Brasil, mas esbarrou na grande dimensão dos custos envolvidos no chamado *Plano de Metas*, que tinha 31 metas divididas em cinco grandes grupos: Energia, Transportes, Indústria, Alimentos e Educação. O crescimento vertiginoso foi decisivo para levar o Brasil a um novo patamar no mundo, porém "passou do ponto".

Ao forçar tal nível de crescimento em tão curto espaço de tempo, *ultrapassou o potencial de crescimento possível da economia*. Desarranjos se seguiram nessa área: além do crescimento da dívida externa, a inflação, que era de 12% ao ano em 1955, passou a 31% ao ano em 1960.

Juscelino decidiu e conseguiu construir Brasília em apenas 40 meses, um feito espetacular. Uma nova e grande cidade, moderníssima e de sofisticada beleza arquitetônica, num lugar distante dos principais centros urbanos e com acesso precário. Com a inerente dificuldade de controle de uma obra daquela dimensão, sofreu pesadas acusações de corrupção pela oposição ao seu governo, em especial pelos políticos da UDN.

Nos anos JK, o Brasil cresceu a espantosos 8% ao ano e passou para um patamar superior de desenvolvimento. Juscelino, *o presidente sorriso*, estava decidido a conectar o Brasil com o mundo. Além do crescimento vertiginoso de nosso parque industrial, inclusive da indústria de defesa, aqui surgiu o Cinema Novo, a Bossa Nova e tantas manifestações culturais que ganharam grande projeção mundial. Foram anos luminosos, especialmente 1958, quando, além de tudo, o Brasil foi campeão mundial de futebol pela primeira vez. O influente crítico literário Roberto Schwarz[12] cravou à época a seguinte frase: *"O Brasil está irreconhecivelmente inteligente".*

AS MARCAS DA INDÚSTRIA AUTOMOBILÍSTICA BRASILEIRA

Com o processo de substituição de importações a indústria automobilística brasileira ganhou marcas nacionais como a FNM, a Gurgel, a Puma, a Miura a Santa Matilde, entre outras menos conhecidas. Tais marcas fabricavam automóveis sob licença (como é o caso da Romi com a "Romiseta") ou fabricavam modelos próprios com um alto número de componentes fabricados aqui, originalmente de marcas estrangeiras, (como é o caso da Puma e da Miura). A Gurgel logrou produzir um motor de projeto próprio, o "BR-800". Também devem ser citados os esforços da CBT para a produção de jipes, os "Javalis", esforço também promovido pela ENGESA, que, além de jipes, produziu caminhões e tratores agrícolas. Marcas menos conhecidas do público geral foram MP Lafer, Bianco, Montauto ("Montadora Nacional de Automóveis") e IBAP (Indústria Brasileira Presidente). Nas fotos nós temos a linha de produção dos carros FNM, um exemplar do DKW Vemag, o Puma GT e o Miura.

Reprodução.
Disponível em: https://alfafnm.com/historia-da-fnm/

Reprodução.
Disponível em: https://www.pumaclassic.com.br/2016/03/entradas-de-ar-dianteira-puma-gt-e-gte.html

Reprodução.
Disponível em: https://www.planetcarsz.com/carros/1964-dkw-vemag-belcar

Reprodução.
Disponível em: https://www.cidadeitapevi.com.br/historia-do-miura/

---

[12] SCHWARZ, Roberto. Cultura e política, 1964-1969. *In*: SCHWARZ, Robert. *O pai de família e outros estudos.* Rio de Janeiro: Paz e Terra, 1978 pp. 61-92.

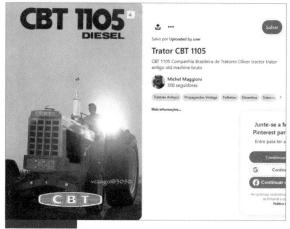

Reprodução. Pinterest.
Disponível em: https://pin.it/1GMIOmi

COMPANHIA BRASILEIRA DE TRATORES (CBT)
Uma das mais importantes empresas nacionais foi a Companhia Brasileira de Tratores (CBT). Produzia bens de capital para um mercado brasileiro já estabelecido e em processo de modernização: a agricultura. Na foto, um cartaz de divulgação do icônico "CBT 1105", o mais poderoso da "série 1000" (composta pelo modelo "1000"; "1065"; "1090" e "1105"), que foi o primeiro a ser projetado no Brasil depois dos "CBTs Oliver". Apesar dos problemas de acabamento, o 1105 foi o primeiro trator nacional realmente grande a ser oferecido ao mercado brasileiro, o que contribuiu para dinamizar a indústria de máquinas agrícolas no país.

Do ponto de vista das condições objetivas, o Plano de Metas tomou partido da ampla oferta de crédito do mercado internacional para o financiamento das obras de infraestrutura de interesse das indústrias, inclusive das transnacionais que investiam no Brasil. Assim, diferentemente de Vargas, que foi moderado na tomada de empréstimos internacionais, JK fez ampla utilização de recursos desta fonte, aumentando em muito a dívida externa do Brasil.

EMPRÉSTIMOS E DÍVIDA
Vale lembrar que os empréstimos internacionais em dólar, em geral, têm que ser pagos em dólar, o que deixa o país tomador bem mais vulnerável do que quando a dívida é em moeda nacional. Nos dias de hoje, 2022, por exemplo, a dificuldade da Argentina é imensa porque muito de sua dívida é em dólar, diferentemente do Brasil, que, além de ter reservas internacionais da ordem de US$ 330 bilhões, tem sua dívida quase toda em reais. Há economistas respeitáveis que defendem que o Brasil deveria "emitir moeda", isto é, reais, também com a finalidade de pagar sua dívida.

Reprodução.
Disponível em: https://jk.cpdoc.fgv.br/imagem-som/fatos-eventos/plano-de-metas

JUSCELINO KUBITSCHEK DE OLIVEIRA (1902-1976)
Um dos presidentes mais importantes do Brasil desenvolvimentista, JK foi conhecido pela eficácia e celeridade de seu Plano de Metas. Sua importância para o país é inestimável, mas o endividamento externo levou a uma dependência maior do capital internacional.

Fonte: https://www.infoescola.com/historia/governo-de-juscelino-kubitschek/

Foi no governo de JK (1956-1961) que surgiu a *Companhia Brasileira de Tratores (CBT)*, que, fundada em 1959, seguiu a mesma linha de ação da FNM: com base na compra do projeto dos tratores *Oliver* estadunidenses, a CBT começou, num primeiro momento, a produzir versões brasileiras destes. Posteriormente, passou a produzir tratores próprios, que ajudaram a revolucionar o campo brasileiro.

A CBT e a FNM foram sucessos comerciais nesses nichos de mercado, sendo que a FNM, no governo JK, se aventurou no mercado de automóveis, sem ter o mesmo sucesso obtido com a venda dos caminhões. A CBT produziu, no final da década de 1980, o jipe Javali, que teve relativo sucesso, e, surpreendentemente, tentou galgar o mercado aeronáutico com um veículo aéreo não tripulado denominado BQM1-BR, cujo protótipo foi apresentado ao público em 1982.

Embora nos dias de hoje a tecnologia tenha registrado enormes avanços, o exemplo daquelas empresas precisa ser considerado. A CBT e a FNM, e poderíamos citar outras indústrias brasileiras importantes, como a Veículos e Máquinas Agrícolas (VEMAG)[13], tiveram importância vital para sua época.

Elas se fundaram visando mercados já estabelecidos no Brasil e com escala suficientemente grande para sustentar a produção industrial das mercadorias que eram consideradas vitais para o desenvolvimento nacional. Desenvolveram tecnologia e geraram empregos e riqueza para os brasileiros.

A FNM, pensada para atender o setor de motores aeronáuticos, logo viu que o mercado brasileiro era incipiente para dar escala para sua produção. Passou a produzir veículos de transporte terrestre, de extrema importância para um país que ainda era, basicamente, agrário e precisava escoar sua produção em caminhões.

O mesmo pode se dizer da CBT, que, ao produzir tratores, abastecia com bens de capital o nascente mercado da agricultura mecanizada no país. A demanda interna de diferentes setores foi, e ainda é, um ponto importante de alavancagem para a modernização da sociedade brasileira.

4.2 Novo pacto na industrialização

Por outro lado, é digno de nota que, a partir do governo JK, o projeto de industrialização brasileira perdeu muito de seu conteúdo nacional, uma vez que empresas brasileiras importantes como, por exemplo, FNM, VEMAG, entre outras, tiveram grande parte de seu mercado tomado por montadoras internacionais.

A Volkswagen, a Mercedes Benz, GM, a Willys Overland, posteriormente incorporada pela Ford, instalavam-se no Brasil com o compromisso de ocupar a mão de obra brasileira e investir seu capital financeiro no Brasil. No entanto, mesmo com a exigência de índices significativos de nacionalização, não houve um claro compromisso de desenvolvimento e transferência de tecnologia para o país.

---

[13] Fundada em 1945.

Na verdade, o Plano de Metas obedecia a um esquema triádico, por considerar três grandes atores como fundamentais para o desenvolvimento. Esses atores eram, respectivamente:

- ***O Estado:*** assim como em todo o período desenvolvimentista, o poder público teve funções superlativas como financiador, planejador e regulador. Importante lembrar que, entre as décadas de 1940 e 1950, o poder público brasileiro passou a deter um grande patrimônio no setor de indústria de base, com destaque para siderurgia e energia.

Tal patrimônio foi de fundamental importância para o Plano de Metas, uma vez que ele tornava possível o abastecimento do parque industrial com insumos básicos e de baixo custo, tais como chapas de aço e energia, insumos esses sem os quais as indústrias privadas não teriam condições de prosperar. É importante dizer que, apesar de JK ter permitido a instalação do capital internacional no Brasil, a indústria de base, que exige vultosos investimentos, e que é estratégica para o país, não foi internacionalizada e nem privatizada.

- ***Capital internacional:*** o lema "Cinquenta anos em cinco" pode ser explicado também pela participação do capital internacional no Plano de Metas. O processo de industrialização seria muito mais lento se não fosse a participação das multinacionais em sua execução. O objetivo do governo brasileiro era constituir uma indústria de bens de consumo duráveis (carros, motos etc.) e de bens de capital (tratores, caminhões e outras máquinas pesadas).

Imaginava-se que o capital privado nacional demoraria muito tempo para dominar esse mercado com autonomia, motivo pelo qual se admitiu que as montadoras internacionais se instalassem no Brasil com muitas regalias. O benefício dessa medida foi chegar, de uma maneira rápida, à constituição de um parque industrial completo. As montadoras internacionais também serviriam como elementos impulsionadores de indústrias menores de capital privado brasileiro.

O custo de incentivar a participação estrangeira no desenvolvimento do parque industrial brasileiro, sem grandes contrapartidas de transferência de tecnologia e sem um apoio claro à sobrevivência e evolução tecnologia de empresas nacionais, foi inibir o crescimento de inúmeras empresas locais com grande potencial de desenvolvimento.

Além disso, seguidos constrangimentos e desconfortos surgiram com as grandes remessas de lucros para o exterior e a pequena preocupação em livrar o Brasil de sua dependência tecnológica.

Não se fez aqui o que se fez e se faz em muitos países asiáticos, como Coreia, China e outros, que têm garantido um enorme avanço tecnológico, econômico e social nos dias de hoje.

- ***Capital privado nacional:*** em 1955, a indústria brasileira vinha de um caminho de duas décadas com posições sólidas nos mercados têxtil e alimentício. A implantação de um mercado automotivo no país abria novos horizontes para os industriais brasileiros, como a implantação de montadoras com projetos nacionais e principalmente a produção de componentes automotivos, desde correias e juntas até produtos mais sofisticados, como filtros e componentes para sistemas elétricos.

4.3 O Brasil atinge o ciclo industrial completo

Os historiadores da formação econômica brasileira conhecem essa parceria como *"a tríplice aliança"* articulada pelo governo JK: Estado, capital internacional e capital nacional. Tal aliança, que é o núcleo do Plano de Metas, proporcionou uma plataforma segura para o desenvolvimento do país e para o capital nacional. A indústria brasileira chegou a superar as próprias expectativas do governo, tendo exemplos prodigiosos, como a já citada CBT e a Bernardini, empresa da área de cofres que, àquela altura do desenvolvimento brasileiro, começou a produzir tornos mecânicos.

A produção de tornos e fresas foi uma conquista importante do governo JK, uma vez que estas são consideradas *máquinas complexas*, ou seja, máquinas que produzem máquinas, o que permitiu ao Brasil *fechar o seu ciclo industrial*. O "fechamento" do ciclo industrial se refere ao fato de o país conseguir completar o seu parque industrial. Depois que isso acontece, a industrialização se torna orgânica, estruturada dentro do contexto mais amplo da economia nacional, de maneira que não é apenas uma crise conjuntural que vai necessariamente desindustrializar o país.

A INDÚSTRIA BRASILEIRA DE COMPONENTES

Segundo as premissas do Plano de Metas, o capital industrial privado nacional deveria consolidar suas atividades na produção de componentes automotivos, que seriam fornecidos para as montadoras estrangeiras. Com o tempo, o capital nacional deveria evoluir para a produção de veículos e mesmo para a indústria de base.

Ainda que tal desenvolvimento tenha sido obstruído, a indústria nacional conseguiu produzir itens relativamente sofisticados, como amortecedores, filtros, baterias e componentes elétricos e eletrônicos.

Reprodução.
Disponível em: http://pararobo.blogspot.com/2014/07/cachorro-da-cofap.html

É importante citar esse feito, uma vez que ele deu notabilidade para o Brasil dentro do cenário mundial, naquele período. Ainda que a industrialização induzida tenha sido uma marca de países da América Latina, muito poucos tiveram sucesso em fazer o fechamento do ciclo industrial.

A Argentina, até então o país mais rico da América Latina, não conseguiu alcançar esse feito, para citar um exemplo. Apesar de ser uma potência agrícola, o problema da industrialização argentina padecia de vários problemas: o país não produzia ferro e a sua população não era tão grande. O mais grave é que boa parte da burguesia argentina não confiava na industrialização, uma vez que o momento mais próspero do país aconteceu no final do século XIX, sob o liberalismo e amparada no lucrativo comércio de cereal e carne.

Com graves cisões políticas internas, além de golpes militares — como o de 1976, que provocou um banho de sangue no país, com mais de 30 mil mortos —, os governos argentinos tiveram dificuldades em conduzir o seu processo de desenvolvimento industrial. A economia argentina acabou por desorganizar-se totalmente e começou sua decadência a partir dos anos 1960, o que levou o Brasil a se tornar líder regional.

Até a segunda metade da década de 1950, o setor agroexportador foi uma força financiadora para a construção do setor industrial brasileiro. Nos anos da administração JK, o PIB industrial chegou a ser maior do que o setor agroexportador, o que colocava o Brasil no rol das economias industriais[14].

Disponível em: https://www.istockphoto.com/

---

[14] GREMAUD, Amaury Patrick; VASCONCELLOS, Marco Antonio Sandoval de; TONETO JUNIOR, Rudinei. *Economia brasileira contemporânea*. São Paulo: Atlas, 2017.

4.4 A construção de Brasília

Outro ponto basilar no Plano de Metas foi a interiorização da capital federal, ou seja, a construção de Brasília. Tal feito foi uma aspiração nacional desde o século XIX e até inscrita na Constituição de 1946. Estava presente já nos escritos de José Bonifácio (1763-1838) a construção de uma cidade no planalto central, destinada a ser a capital nacional. Bonifácio já havia pensado no nome da cidade, que deveria ser "Brasília".

Depois de décadas de discussão em torno da viabilidade do projeto, JK atirou-se a esse desafio, que se constitui em um dos mais impressionantes e controversos legados do Brasil desenvolvimentista.

Geralmente, a literatura sobre o tema aponta a construção de Brasília como uma demanda de segurança nacional. Não por outra razão, a ideia foi inserida na Constituição Brasileira logo após a Segunda Guerra Mundial.

De fato, tinha lógica: a construção da capital do país a muitas centenas de quilômetros do litoral deu profundidade estratégica para as defesas nacionais, obrigando um potencial invasor a marchar enormes distâncias e tomar várias outras cidades até a capital federal finalmente ser tomada. Brasília também reforça a presença militar brasileira nas fronteiras terrestres da região Centro-Oeste e otimiza as possibilidades de uma cobertura aérea na região amazônica.

Fora os aspectos militares do empreendimento, a construção de Brasília também tem dimensões econômicas, uma vez que ela obrigou não apenas o governo JK, como também os governos sucessores a construir estradas, tornando perpétuas as bases do Plano de Metas. Por outro lado, esvaziou o grande centro político do Brasil, o Rio de Janeiro, dificultando em muito a participação e mobilização da população em torno de suas demandas políticas e sociais.

PRIMEIRA EDIÇÃO DO PLANO DE METAS
A edição de campanha do Plano de Metas, intitulado, *Diretrizes gerais do plano nacional de desenvolvimento*, data do ano de 1955. O documento lança os princípios e as motivações do Plano de Metas e foi seguido de relatórios anuais que estão disponíveis na internet.

Reprodução.
Disponível em: https://edisciplinas.usp.br/pluginfile.php/5291773/mod_resource/content/1/Plano%20de%20Metas.pdf

4.5 Custos e benefícios do Plano de Metas

Ao analisarmos o Plano de Metas seis décadas depois, devemos considerar os seus méritos e seus vícios. E seus méritos são grandes: do ponto de vista da eficiência do processo, o Plano de Metas é algo digno de recordação, uma vez que, nos seus cinco anos de execução, foram poucas as metas não alcançadas. Do ponto de vista do legado, a política JK contribuiu para articular o território, aprimorar os meios de defesa nacional e ampliar o parque industrial do país.

A crítica ao plano deve, em primeiro lugar, reconhecer que ele teve um ponto de partida generoso, propiciado pela política econômica de Vargas, que iniciou o ciclo industrial, implantou a indústria de base e fundou agências como o Instituto Brasileiro de Geografia e Estatística (IBGE) e o Banco Nacional do Desenvolvimento Econômico (BNDE).

Tudo isso teve uma importância fundamental em todo o período de desenvolvimento induzido pelo Estado em apoio à iniciativa privada. Portanto, é correto observar que o governo JK foi prodigioso em suas conquistas no plano econômico, mas não "começou do zero". Muito de seu sucesso se deve ao formidável legado estruturado pelos governos de Getúlio Vargas.

Porém, existem críticas que devem ser feitas, e a principal delas diz respeito à prioridade, em função da pressa em atingir as metas propostas, para a construção de rodovias em detrimento da construção e da manutenção de ferrovias. Ainda que mais caras, mais complexas e mais demoradas para serem implantadas, as ferrovias são, em geral, muito mais produtivas e resistentes que as rodovias, levando uma tonelagem de cargas muito maior que aquelas transportadas pelos caminhões e com desperdício muito menor de mercadorias e consumo de combustível.

No mais, boa parte da atual mortalidade nas rodovias brasileiras reside no fato de que quase toda a carga e todos os passageiros são transportados nas mesmas vias, o que é distinto dos padrões de países mais avançados, onde parte expressiva das mercadorias é transportada por trilhos. Por ironia do destino, JK, que almejava retornar à Presidência da República quando a Ditadura — instalada em 1964 — chegasse ao fim, faleceu em 22 de agosto de 1976, na cidade de Rezende, em um acidente automobilístico suspeito na via Dutra, que liga as cidades de São Paulo e Rio de Janeiro.

O fato de as rodovias terem ocupado com protagonismo o sistema de transportes do Brasil, até por pressões políticas de montadoras de automóveis e caminhões, acabou por dissuadir os esforços dos governos seguintes pela implantação de ferrovias.

Outro problema do Plano de Metas é que ele trocou a autonomia nacional do processo de industrialização pela velocidade de implantação, o que levou à desnacionalização progressiva do parque industrial brasileiro. Com isso, o governo brasileiro perdeu boa parte de seu protagonismo na formulação da política industrial do país.

Por fim, o fomento acelerado do processo industrial mediante investimentos públicos, privados e uma alta quantidade de empréstimos internacionais levou a economia brasileira a um grande crescimento, mas também ao endividamento externo e a um processo inflacionário. Por outro lado, é preciso ressaltar que, ao concluir seu mandato, Juscelino Kubitschek entregou um parque industrial superequipado e a sociedade havia se transformado. Seu legado foi inestimável.

O crescimento do PIB no primeiro ano de governo JK foi de 3%.
Porém, nos demais anos foi espetacular:

7,7% em 1957; **10,8%** em 1958; **9,8%** em 1959 e **9,4%** em 1960.

No final da década de 1950, havia o problema da inflação de demanda, ou seja, uma procura maior do que a capacidade de produção de algumas mercadorias, o que pode acontecer em uma sociedade que passa por surtos abruptos de desenvolvimento. Por outro lado, o mercado consumidor interno não conseguia absorver a quantidade de produtos de maior nível tecnológico que o Brasil já produzia.

Uma solução seria a exportação, o escoamento da produção para o mercado internacional. Para que isso fosse possível, o Brasil teria que ter assumido, de vez, a importância de aumentar sua autonomia e investir ainda mais em ciência, tecnologia e inovação. Os produtos industriais teriam que ter incorporado maiores avanços tecnológicos e inovadores, ou seja, mais qualidade, além de custos mais atrativos para o mercado internacional.

Foi importante o apoio público às empresas nacionais e até mesmo às multinacionais, mas não se exigiu destas, de forma enfática, a aceleração da produtividade e a garantia de transferência de tecnologia, como alguns países asiáticos fazem e avançam no mercado internacional.

Nos tempos atuais, há casos isolados de ações nesse sentido, como a decisão pela compra, em 2013, do avião de combate Gripen-NG da empresa sueca SAAB, que embutiu uma significativa transferência de tecnologia para o Brasil. Outro exemplo, aparentemente simples, mas de grande significado e importância, foi o contrato firmado em 2020 pelo governo de São Paulo, por meio do Instituto Butantã, com a China para a produção da vacina CoronaVac, inclusive dos IFA (insumos farmacêuticos ativos)[15], além de outra vacina contra a COVID-19, a ButanVac, aqui desenvolvida.

5. Jânio Quadros é eleito presidente e João Goulart é eleito[16] vice-presidente

Jânio Quadros (1917-1992) assume a Presidência do Brasil em janeiro de 1961. Encontra o país com boa estrutura econômica, mas padecendo de poderosa crise conjuntural, com inflação em torno de 31% ao ano, endividamento e um mercado interno que já não tinha capacidade de absorver parte da expressiva produção industrial brasileira.

Jânio fundou um estilo de política que alguns chamam de "populismo de direita", que mais tarde ecoaria em figuras como Collor de Mello, Paulo Maluf e Bolsonaro. Seu curto mandato foi marcado por políticas esdrúxulas, baseadas em valores morais, como a proibição do jogo do bicho e de biquíni na praia.

---

[15] O Brasil já foi praticamente autossuficiente em produção de IFA. Abriu mão por uma visão tacanha, de curto prazo, a partir do governo FHC e de outros que se seguiram.

[16] À época, o cargo de vice-presidente também era definido por eleição. Jango, como era chamado João Goulart, já havia sido eleito vice-presidente na eleição anterior, em que Juscelino Kubitschek foi eleito presidente.

Por outro lado, houve uma peculiaridade marcante em sua atuação como presidente da República: sua política conservadora, feita com o apoio de partidos tidos como de direita, em especial a UDN, não tinha sintonia com a sua política externa, que era altamente progressista e recebeu o nome de "Política Externa Independente". Em linhas gerais, essa era uma política de diversificação de parcerias para o reforço do processo industrial brasileiro, com possibilidades de intercâmbio com a China e o Leste Europeu, além de ser solidária ao processo de descolonização da África e da Ásia.

Jânio renuncia em 25 de agosto, sete meses depois de empossado, alegando que sua atitude estaria relacionada a forças ocultas e poderosas. Certamente, sua inesperada saída ajudou a acelerar a grave instabilidade política da nação, que crescia desde o final da Segunda Guerra Mundial. Setores das Forças Armadas, estimulados por alas políticas ligadas a grupos empresariais mais voltados a interesses externos, em especial dos Estados Unidos, conspiravam, havia tempo, contra o poder instituído: Vargas, ameaçado, suicidou-se em 1956. JK teve dificuldades para assumir o poder em 1956.

6. João Goulart, o vice, assume em 7 de setembro de 1961 e tenta emplacar seu Plano Trienal

Com a renúncia de Jânio, João Belchior Goulart, um herdeiro do trabalhismo varguista, só consegue assumir depois de muita mobilização popular, com destaque para a liderança de Leonel Brizola (1922-2004), então governador do Rio Grande do Sul, e sua surpreendente articulação de emissoras de rádio que formaram a famosa "Cadeia da Legalidade". Para que ele chegasse ao poder, foi imposto um regime parlamentarista que seria extinto cerca de um ano depois por um plebiscito nacional que deliberou, por ampla maioria, pelo regime presidencialista.

No entanto, as pressões políticas sobre o governo de João Goulart foram enormes, impedindo-o de colocar em prática a política econômica que almejava com seu Plano Trienal.

6.1 O Plano Trienal

O bem montado Plano Trienal de Desenvolvimento Econômico e Social, comandado pelo notável ministro do Planejamento Celso Furtado (1920-2004), pouca chance teve de ser implementado efetivamente. O objetivo central era controlar a inflação, o déficit das contas públicas, melhorar a distribuição de renda e, ao mesmo tempo, manter acelerado o crescimento econômico, ainda que inicialmente em níveis não muito elevados.

O início da década de 1960 marca o crescimento mais rápido da migração de brasileiros do campo para as cidades. Já no ano de 1964 o Brasil passaria a ser um país urbano[17], ou seja, com mais de 50% de sua população residente nas cidades. Os formuladores do Plano Trienal, sabiam dos riscos da urbanização sem as devidas reformas sociais, como a reforma urbana, que deveriam preparar a sociedade para esse brutal conjunto de mudanças.

CELSO FURTADO
Um dos ícones do pensamento econômico brasileiro, Furtado é até hoje a principal figura da história da formação econômica brasileira. Além de suas funções como planejador junto ao poder público, Furtado teve importante atuação para a constituição do pensamento da Comissão Econômica para América Latina e Caribe (CEPAL).

Celso Furtado foi o primeiro dirigente da Superintendência de Desenvolvimento do Nordeste (SUDENE), autarquia criada em 1959 no governo Juscelino Kubitschek. Fonte: (acervo Rosa Freire d'Aguiar).

Reprodução.
Disponível em: http://procondel.sudene.gov.br/CelsoFurtado.aspx

---

[17] SANTOS, Milton. *A urbanização brasileira*. São Paulo: Hucitec,1993.

A inflação se acelera e o presidente João Goulart faz o lançamento oficial do Plano Trienal em 30 de dezembro de 1962, nos últimos momentos em que o regime parlamentarista ainda estava em vigor. A expressiva vitória do regime presidencialista no plebiscito lhe deu força para avançar em seus planos para o Brasil.

Em 1961, o crescimento do PIB foi de 7,7%. Em 1962 cresceu menos: 3,5%. O Plano Trienal lançou oito objetivos básicos para os anos de 1963, 1964 e 1965. Eram eles:

- manter elevada a taxa de crescimento do PIB;
- reduzir a inflação de maneira gradual;
- melhorar a justiça distributiva, corrigindo o elevado custo social do desenvolvimento;
- intensificar a ação governamental nos setores de pesquisa e desenvolvimento (P&D), na educação e na saúde pública;
- reduzir as desigualdades regionais;
- fazer a reforma institucional em prol do desenvolvimento;
- renegociar a dívida externa via processo de refinanciamento;
- aperfeiçoar os meios de comando e controle do governo.

O Plano teria, portanto, o duplo objetivo de assegurar uma taxa generosa de crescimento dentro de um esforço de estabilização da moeda. Isso só seria possível com o planejamento minucioso do investimento público em setores que possuíam condições de se desenvolver sem alimentar a espiral inflacionária.

O Plano Trienal adotava como diretriz principal a continuidade da industrialização, mas tal diretriz dependia da consecução de um objetivo de curto prazo, que era o controle inflacionário, e de um objetivo de médio prazo, que seria garantir o crescimento médio do PIB em 7% ao ano.

6.2 O colapso do Plano Trienal

A análise do governo Goulart constitui-se numa importante aula de história para quem quer entender o Brasil. Talvez a principal lição deixada por Goulart seja a dificuldade de fazer reformas sociais em uma sociedade com tão grandes desigualdades. E, pior, com enorme influência de poderosos grupos político-econômicos pouco patriotas e insensíveis às dificuldades que o povo brasileiro enfrenta.

Outra lição valiosa, e que mais tarde atingiu o governo Dilma, é sobre a impossibilidade de buscar a melhor alternativa de política econômica quando se perde a estabilidade política.

A falta de estabilidade política impossibilitou que o plano de Jango fosse realmente posto em prática. Sua vigência efetiva foi de menos de um semestre, tamanhas eram as pressões que o governo era obrigado a administrar. Contou para o seu fracasso a profunda fissura do pacto social varguista promovida pelos grandes agentes econômicos[18], como também pela ação política dos EUA, polarizado pela guerra fria. Com a crise, os norte-americanos também ganharam uma oportunidade para influenciar mais decididamente a política econômica do Brasil.

O começo de 1963 foi marcado pelo crescimento da pressão inflacionária. Os preços haviam aumentado 52% em relação ao mesmo período de 1962 e a balança de pagamentos apresentava um déficit de 393 milhões de dólares.

---

[18] As grandes empresas internacionais, parte da burguesia nacional e o governo dos EUA sabotaram o governo Goulart. Até onde sabemos, parte dessa sabotagem era feita por instituições da sociedade civil que se apresentavam ao público como fundações para-acadêmicas cuja preocupação aparente era a pesquisa. Uma dessas foi o Instituto de Pesquisa e Estudos Sociais (**IPES**). Fundado em 1962, no Rio de Janeiro, a instituição ganhou o apoio de empresários de outros estados brasileiros. Durante a sua atuação, o IPES produziu argumentações com alto grau de elaboração e fazia intensa propaganda antigovernamental. Outra organização com características semelhantes foi o Instituto Brasileiro de Ação Democrática (IBAD), que tinha uma atuação parecida com a do IPES. No caso do IBAD, a Câmara dos Deputados instalou uma Comissão Parlamentar de Inquérito (CPI) para investigar suas atividades em 1963. O **IBAD** era acusado de financiar a campanha de candidatos oposicionistas nas eleições de 1962 com recursos ilícitos. Quando começaram a ser investigados, os funcionários do IBAD queimaram boa parte da documentação, o que dificulta o seu estudo em nossos dias. Já o IPES foi enquadrado no mesmo processo de investigação, mas conseguiu ser absolvido. Em 1966, por meio de um decreto presidencial, o IPES foi considerado "órgão de utilidade pública". Como boa parte de suas funções foram absorvidas pelo Serviço Nacional de Informações (SNI), a unidade do IPES de São Paulo encerrou suas atividades em 1970 e a do Rio de Janeiro, em 1972.
PAULA, Christiane Jalles de. O Instituto de Pesquisa e Estudos Sociais. In: *Centro de Pesquisa e Documentação Histórica Contemporânea do Brasil*, Fundação Getulio Vargas, SD. Disponível em: https://cpdoc.fgv.br/producao/dossies/Jango/artigos/NaPresidenciaRepublica/O_Instituto_de_Pesquisa_e_Estudos_Sociais. Acesso: 25 jan. 2021.

Nesse contexto, San Tiago Dantas (1911-1964) foi enviado a Washington em março, com a tarefa de renegociar a dívida. O ministro conseguiu um acordo de 398,5 milhões de dólares. No entanto, apenas 84 milhões estariam disponíveis para utilização imediata, ficando o restante dos fundos disponíveis conforme o Brasil se comprometesse a liberalizar ainda mais sua economia: as metas anti-inflacionárias deveriam ser cumpridas à risca e as empresas dos EUA deveriam ter maiores facilidades no Brasil[19].

6.3 As Reformas de Base

Logo que assumiu, o presidente João Goulart, carinhosamente chamado de Jango, começou a falar nas *Reformas de Base*. As principais eram as mudanças nas áreas educacional, bancária, agrária, fiscal, administrativa e constitucional.

Como se vê, formavam um conjunto de reformas extremamente ambicioso que tinha como objetivo trazer grandes mudanças estruturais na economia. Combater as desigualdades sociais, diminuir a dependência de dinheiro estrangeiro para o desenvolvimento do Brasil, fortalecer o capitalismo nacional e, especialmente, dar sustentabilidade à chegada dos grandes contingentes de brasileiros que saíam do campo e buscavam moradia e trabalho nas cidades.

Para enfrentar essa enorme demanda, era vital criar as condições para ampliar de forma significativa o mercado consumidor brasileiro. Isso reforçaria a base industrial do país, salvando-a da então recente crise causada pela grande capacidade de produzir, abalada pela menor capacidade de consumo da população.

Já se sabia que a integração dos mercados da América Latina muito ajudaria, o que havia sido ensaiado entre os governos Vargas e Perón (1895-1974), mas que só começou a dar frutos no ano de 1960, em um dos últimos feitos do governo JK: a fundação da Área Latino-americana de Livre Comércio (ALALC).

---

[19] MIRANDA, José Carlos Rocha. Plano Trienal de Desenvolvimento Econômico e Social. In: *Centro de Pesquisa e Documentação Histórica Contemporânea do Brasil*, Fundação Getulio Vargas, s.d. Disponível em: http://www.fgv.br/cpdoc/acervo/dicionarios/verbete-tematico/plano-trienal-de-desenvolvimento-economico-e-social. Acesso: 25 jan. 2021.

Como afirmamos, Jango conseguiu ter mais força a partir de janeiro de 1963, quando o plebiscito nacional restituiu o sistema presidencialista. No entanto, passou a ser sabotado de todos os lados: a polarização no país em torno das propostas de reformas cindiu de vez a nação. De um lado, trabalhadores e setores populares, de outro, parte das Forças Armadas, da classe média e de empresários alarmados com a intensa propaganda da grande mídia contra as reformas, que diziam ser coisa de comunistas.

O conjunto de pressões suportado pelo governo civil de João Goulart foi imenso, e o quadro de instabilidade impedia a consecução de qualquer política pública de maior envergadura. Como sabemos, o governo de Goulart veio a ruir em 1º de abril de 1964, e a Ditadura que se instaurou obstruiu muitas das conquistas sociais que estavam em curso.

Apesar do conturbadíssimo momento do país, o PIB cresceu:

1961: **8,6%**; 1962: **6,6%**; 1963: **0,6%**

A DIGNIDADE DA FIGURA POLÍTICA DO PRESIDENTE JOÃO GOULART

Herdeiro político de Getúlio Vargas, de quem foi ministro do Trabalho, figura-chave do trabalhismo brasileiro, João Goulart foi um dos políticos mais qualificados da nossa história. Tanto nas eleições para vice-presidente de 1955 quanto nas eleições de 1960, João Goulart conseguiu mais votos que os presidentes eleitos, JK e Jânio Quadros.

Nos anos de mandato como presidente, Jango lançou as políticas mais sérias para a reforma da sociedade brasileira jamais vistas para superar o atraso da nação. Apesar de fazer parte de uma rica família de estancieiros de São Borja, Goulart entendeu a importância da responsabilidade social do governo e lutou pela justiça distributiva como vetor de desenvolvimento econômico. Tal consciência redundou em um conjunto de reformas que ficou conhecido como "Reformas de Base" e que teve como principais artífices Celso Furtado, ministro do Planejamento de Goulart, e San Tiago Dantas, ministro da Fazenda e depois ministro das Relações Exteriores.

Embora com uma vida dedicada à política, extensa experiência e bons serviços prestados como deputado federal, ministro de Estado, vice-presidente em dois mandatos diferentes e, finalmente, presidente da República, a importância de João Goulart é pouco lembrada na política brasileira. Vale destacar que a atual Constituição do Brasil, promulgada por Ulysses Guimarães (1916-1992) em outubro de 1988, assumiu vários temas propostos nas Reformas de Base de Jango, como, por exemplo, a Função Social da Terra.

O governo de João Goulart representava a continuação necessária do modelo desenvolvimentista de Vargas e de JK, caracterizado não apenas pelo desenvolvimento econômico, mas ampliado com mais compromisso social no que diz respeito à distribuição de renda, garantia de direitos e de dignidade do trabalho.

7. Com o golpe de Estado de 1964, vem a Ditadura de 21 anos

Em abril de 1964, a Democracia cai por terra. Com o golpe de Estado que depôs o presidente João Goulart, é instalada a Ditadura Civil-Militar. Com a promessa de que o regime de exceção que se iniciava duraria pouco mais de um ano, o Brasil amargou 21 anos de Ditadura, com consequências até os dias de hoje.

Há varias teses sobre esse gravíssimo acontecimento no Brasil, época em que se vivia a chamada *guerra fria* entre os norte-americanos e os soviéticos. Não se tem dúvida de que existiu uma grande conspiração internacional conduzida pelo governo dos Estados Unidos e operada aqui, por alguns anos, pelo seu embaixador no Brasil, Lincoln Gordon (1913-2009).

Por outro lado, havia o que ficou conhecido como "Os Generais do Povo", oficiais militares que defendiam abertamente a democracia e eram contra o golpe, como o marechal José Lopes Machado (1900-1990), que foi comandante do III Exército. Entre os sargentos, cabos e soldados, o apoio a Jango era enorme. Apesar da gravíssima crise econômica e da terrível campanha contrária dos meios de comunicação, o presidente João Goulart ainda desfrutava de razoável apoio popular quando foi deposto.

Segundo o Instituto Brasileiro de Opinião Pública e Estatística (IBOPE), 35% da opinião pública considerava o seu governo "Ótimo ou bom", 41% como "Regular" e somente 19% o avaliavam como "Mau ou péssimo"[20].

Muitos dos aliados do presidente entendiam que era possível resistir ao golpe, especialmente Leonel Brizola. No entanto, como alegou, Jango não queria correr o risco de derramamento de sangue de brasileiros para garantir seu cargo de chefe da nação.

O regime instalado buscou, inicialmente, varrer a influência desenvolvimentista da chamada "Era Vargas". Logo depois, porém, impôs de forma autoritária um projeto de industrialização induzida, de certo

---

[20] BANDEIRA, Luiz Alberto Moniz. *Brasil, Argentina e Estados Unidos – Conflito e integração na América do Sul (da Tríplice Aliança ao Mercosul – 1870-2003)*. 2. ed. Rio de Janeiro: Renavan, 2003, p. 385.

modo continuando, do ponto de vista econômico, o processo que o país já operava com Vargas, desde a década de 1930.

7.1 Castelo Branco e o Plano de Ação Econômica do Governo (PAEG)

O primeiro governo militar, chefiado pelo general Humberto Alencar Castelo Branco (1897-1967), que durou de abril de 1964 a março de 1967, dizia ter o compromisso de voltar à democracia em pouco tempo. Foi o único, entre 1930 e 1985, que tentou implantar uma política econômica de austeridade e enxugamento da máquina pública. O Plano de Ação Econômica do Governo (PAEG) tinha, inicialmente, como prioridade o ajustamento de contas públicas e o controle da inflação. O PAEG operacionalizou reformas sociais conservadoras e promoveu uma profunda reforma institucional. Com a criação naqueles anos do Banco Central, responsabilidades financeiras menores foram deixadas para o Banco do Brasil.

O PROGRAMA DE AÇÃO ECONÔMICA DO GOVERNO
O governo Castelo Branco (1964-1967) foi o único que teve uma postura de diminuir a participação do Estado na economia, no período que compreende 1930 a 1985. Conseguiu reduzir a inflação, mas sem desindustrializar o país. Porém o PAEG implementou uma sequência de reformas antipopulares, como o imposto de renda e a redução dos direitos trabalhistas.
Reprodução. Disponível em: https://www.traca.com.br/livro/142157/

Apesar do seu caráter liberal e austero, o PAEG não desindustrializou a economia, e suas diretrizes também não cogitavam o fim da inflação, mas o seu controle. Entre 1964 e 1968, a inflação brasileira caiu de 90% para 30% ao ano. Naqueles anos, o PIB cresceu menos do que vinha crescendo anteriormente. Mesmo assim, chegou à média de 4,2% ao ano.

Isso foi diferente das políticas de combate à inflação implementadas a partir da década de 1990, que causaram penosas perdas à população. Reduziram a inflação, mas comprometeram muito a atividade econômica do país, especialmente a indústria.

O PAEG, por outro lado, concebia uma política de convívio com a inflação, sem que o combate a ela levasse a perdas tão sensíveis ao desenvolvimento nacional, principalmente à produção industrial[21].

Nesse período do general Castelo Branco, a evolução do PIB ano a ano foi a seguinte:

1964	1965	1966
-3,4%	2,4%	6,7%

7.2 A vez do general Costa e Silva

O general Arthur da Costa e Silva (1899-1969) ascende ao poder como o segundo presidente do regime militar em 15 de março de 1967.

Quatro meses depois, em 18 de julho de 1967, um mal-explicado acidente aéreo mata seu antecessor, o general Castelo Branco.

Naquela altura dos acontecimentos, o PAEG conseguira estabilizar e reorganizar a economia, mas com custos sociais elevados: a economia começava a dar sinais de recessão. Direitos trabalhistas foram prostrados e o salário mínimo passou a perder vertiginosamente o seu poder de compra, fato que a sociedade brasileira nunca mais superou, pelo menos no restante do século XX.

Costa e Silva prometeu retomar a Democracia, mas, ao contrário, em pouco tempo acelerou a repressão do regime militar. Em 13 de dezembro de 1968, editou o famigerado Ato Institucional n. 5, o AI-5, que acirrou a violência, banalizou a tortura e o arbítrio no país.

Por outro lado, mudou os rumos iniciais da política econômica do período militar, retomando as bases desenvolvimentistas da ação governamental, o que novamente levou o PIB brasileiro a um crescimento de quase 10% ao ano. Havia no mercado internacional de créditos grande oferta de dinheiro com juros aceitáveis.

---

[21] GREMAUD, Amaury Patrick; VASCONCELLOS, Marco Antonio Sandoval de; TONETO JUNIOR, Rudinei. *Economia brasileira contemporânea*. São Paulo: Atlas, 2017.

O contexto internacional da guerra fria fazia com que os EUA e as grandes potências ocidentais "fizessem vistas grossas" às políticas protecionistas do Terceiro Mundo[22].

Costa e Silva foi afastado do governo por problemas de saúde. Em seu lugar uma junta militar governou por algum tempo, até outubro de 1969. A politica econômica desenvolvimentista continuou a dar enorme crescimento econômico ao país:

1967	1968	1969
4,2%	9,8%	9,5%

7.3 Médici é indicado para o lugar de Costa e Silva

O general Emílio Garrastazu Médici (1905-1985) ocupa o posto de presidente do Brasil entre 30 de outubro de 1969 e 15 de março de 1974. Médici passou a agir com violência ainda maior contra todo e qualquer movimento que contestasse a Ditadura. Além de causar grandes transtornos à sociedade civil, encobriu expressivos êxitos da época e dificultou os necessários ajustes à política econômica.

Como ocorreu nos governos anteriores, a política econômica desenvolvimentista continuou e o crescimento econômico do país foi espantoso.

7.4 Um novo plano nacional de desenvolvimento e a crise do petróleo de 1973

Amparado pela forte base institucional, econômica e industrial desenvolvida a partir da Revolução de 1930 sob o comando de Vargas, e depois pelas ações do governo Dutra entre 1946 e 1950, de Vargas novamente, de Juscelino e de Goulart, o importante economista brasileiro Mário

---

[22] A conduta dos EUA para com o Brasil e outros países em desenvolvimento variou entre a pressão política pela abertura de mercados e "vistas grossas" para os diferentes projetos de desenvolvimento. Segundo Samuel Pinheiro Guimarães (1999), o motivo dessas "vistas grossas" estava no temor, por parte dos EUA, de perder países vassalos para a União Soviética. O temor residia na possibilidade de as condições sociais dos países em desenvolvimento piorarem muito com a abertura de mercados. Isso poderia oferecer um solo fértil para a ampliação da influência da URSS, inclusive com a fundação de Estados socialistas no mundo pobre. Por esse motivo, os EUA toleravam o crescimento de países como o Brasil, o que deixou de acontecer com o fim da União Soviética. A partir de então, segundo a ótica deles, com o comunismo liquidado, os EUA começaram a hostilizar modelos desenvolvimentistas no Sul geopolítico e a exigir a abertura total dos mercados.

Henrique Simonsen (1935-1997) coordenou e lançou em 1972 o que ficou conhecido como I PND — *Primeiro Plano Nacional de Desenvolvimento*.

Esse Plano previa o investimento público maciço nas áreas de infraestrutura e na expansão do mercado de crédito para a classe média. O acesso ao crédito possibilitou às famílias de classe média modernizarem seus lares, com a introdução dos eletrodomésticos, o que acabou por fortalecer mais um importante mercado da economia brasileira: o chamado mercado da *"linha branca"*.

O I PND também deu grande apoio ao agronegócio e proporcionou espantosos crescimentos anuais do PIB brasileiro, que, em 1973, por exemplo, cresceu 14%. O sucesso do plano foi tão expressivo que os seus resultados passaram a ser chamados na imprensa de *"o milagre brasileiro"*.

Ainda em 1973, foi criada uma empresa pública fundamental para o amplo conhecimento da agricultura em áreas tropicais, que possibilitou um grande salto na produtividade do campo brasileiro: a Embrapa — Empresa Brasileira de Pesquisa Agropecuária. Até hoje, muito do sucesso do país nessa área se deve a essa magnífica empresa pública.

EMPRESA BRASILEIRA DE PESQUISA AGROPECUÁRIA
Fundada em 1972, a Empresa Brasileira de Pesquisa Agropecuária (Embrapa) é uma agência governamental com centrais de pesquisa espalhadas por todo o Brasil. Tal instituição teve, e tem, uma enorme importância para a modernização da agricultura e da pecuária brasileiras, ajudando o Brasil a ser uma das maiores potências do mundo nesse setor.
Reprodução. Disponível em: https://www.embrapa.br/unidades-administrativas/

PRIMEIRO PLANO NACIONAL DE DESENVOLVIMENTO
O Primeiro Plano Nacional de Desenvolvimento (I PND) aperfeiçoou o mercado de crédito para a classe média, obteve grande sucesso e promoveu o chamado "milagre econômico", até ser obstruído pela crise do petróleo de 1973.

Reprodução.
Disponível em: https://www.traca.com.br/livro/145355/plano-nacional-desenvolvimento-pnd-197274/#

O sucesso do I PND foi tolhido pela crise do petróleo de 1973, quando, em outubro desse ano, os países organizados em torno da Organização dos Países Produtores de Petróleo (OPEP) quadriplicaram o preço do barril do petróleo como retaliação aos países ocidentais que apoiaram as guerras de Israel contra países árabes no Oriente Médio. Apesar de não estar inserido na política ocidental para o Oriente Médio, o Brasil foi impactado diretamente pela crise, porque parte importante da energia consumida no país vinha do petróleo. Tal externalidade impactou diretamente a dívida externa brasileira e acelerou o processo inflacionário, de maneira que o I PND foi em parte comprometido ao longo de 1974.

O I PND garantiu o crescimento vertiginoso do PIB brasileiro. Seguem os números:

1970	1971	1972	1973	1974
10,4%	11,3%	11,9%	13,9%	8,1%

7.5 Ernesto Geisel e o Segundo Plano Nacional de Desenvolvimento (II PND)

O ano de 1974 foi marcado por mudanças nos rumos do regime e de sua política econômica. Em março daquele ano, ascendia ao poder o general Ernesto Geisel (1907-1996), um oficial menos truculento em termos de repressão a opositores quando comparado com seu antecessor, Médici.

Geisel tinha o objetivo de promover a abertura política, que, segundo ele, deveria acontecer de maneira "lenta, gradual e segura"[23]. No plano econômico, os tecnocratas do regime discutiam o que deveria ser feito diante a crise do petróleo; essa discussão ficou conhecida entre os historiadores como "dicotomia de ajustamento ou financiamento"[24].

ANTÔNIO DELFIM NETTO
Um dos maiores formuladores de política econômica no período da Ditadura Militar, Delfim Netto é um economista de convicções desenvolvimentistas.

Reprodução. Disponível em: https://acervo.oglobo.globo.com/em-destaque/delfim-netto-de-czar-rasputin-50-anos-de-influencia-na-economia-brasileira-18592024

O grupo que defendia a opção pelo "ajustamento" acreditava que o segundo quinquênio dos anos 1970 deveria ser marcado por políticas de contenção dos investimentos públicos para evitar o descontrole da economia diante de uma possível taxa muito elevada da inflação. O grupo que

---

[23] Geisel partia do princípio de que uma abertura abrupta iria levar ao desarranjo e ao choque violento das forças políticas em disputa. O processo de abertura brasileiro foi um longo processo de negociação e de reformas institucionais que envolviam o poder legislativo, com a severa repressão a grupos não alinhados com a Ditadura, como políticos de centro-esquerda e esquerda, além de sindicatos.

[24] GREMAUD, Amaury Patrick; VASCONCELLOS, Marco Antonio Sandoval de; TONETO JUNIOR, Rudinei. *Economia brasileira contemporânea*. São Paulo: Atlas, 2017.

defendia o "financiamento" acreditava que o investimento público deveria continuar, principalmente na ampliação da matriz energética do Brasil, para garantir crescimento da oferta de energia no Brasil. Tal debate terminou já em 1974 com a vitória do grupo que defendia a continuação do apoio do governo ao crescimento da economia. No final desse ano foi lançado o *Segundo Plano Nacional de Desenvolvimento (II PND)*.

SEGUNDO PLANO NACIONAL DE DESENVOLVIMENTO
De preocupações mais autonômicas que o I PND, o Segundo Plano Nacional de Desenvolvimento foi a resposta nacionalista do governo Geisel para o choque do petróleo de 1973. O plano era mais voltado para o desenvolvimento da indústria de bens de capital e insumos estratégicos, em contraste com o I PND, que priorizava as indústrias de bens de consumo duráveis. As conquistas do Plano foram notáveis, mas sua operacionalização se mostrou difícil. O maior problema foi o segundo choque do petróleo, em 1979, e a política de aumento radical de juros imposta pelo governo dos Estados Unidos ao mundo, que implicava o "enxugamento", ou seja, a diminuição da disponibilidade de dólares no mercado internacional.

Reprodução. Disponível em: https://www.traca.com.br/livro/239185/#

O II PND foi uma tentativa ousada de enfrentar o perigo de recessão em função das incertezas econômicas que se espalharam pelo mundo com a crise do petróleo, produto de cuja importação o Brasil dependia muito.

Outro ponto de ameaça era que o governo norte-americano acabasse com a convertibilidade do dólar em ouro, o que acabou acontecendo em 1971, durante o mandato de Richard Nixon (1913-1994). Com isso, o dólar passou a ser uma moeda fiduciária[25], tornando-se moeda de reserva de vários países.

"O Plano foi montado em grande parte pelo IPEA, com algumas ideias que eu tinha exposto na primeira reunião ministerial, e contou com a colaboração de todos os ministros. Foi muito discutido, inclusive no Congresso, que o aprovou com algumas emendas, entrando em vigor em dezembro de 1974".

Ernesto Geisel, ex-presidente da República, sobre o II PND

Reprodução. Disponível em: https://www.terra.com.br/noticias/brasil/relatorio-da-cia-revela-que-geisel-sabia-e-autorizou-mortes-de-oposicionistas-durante-regime-militar,acad626addccb0dd57e24441bc9128aedy3r42o7.html

---

[25] O termo "fiduciário" se refere ao papel-moeda emitido pelo Estado sem um lastro real em metal precioso (ouro ou prata). Anteriormente, cada nota de papel-moeda emitida devia ter seu valor correspondente em metal precioso em uma reserva oficial, esse era o chamado "lastro". Para os economistas da época, essa era uma forma de evitar a inflação, uma vez que uma nota só poderia ser impressa a partir do momento em que se conseguisse uma quantidade de metal precioso para justificar sua existência. Existiam moedas nacionais lastreadas em ouro, em prata e existiam ainda os "regimes monetários bimetálicos", que eram lastreados em ouro e prata. Na primeira metade do século XX, tal sistema se mostrou inadequado pela sua pequena flexibilidade e pela dificuldade natural que as nações tinham para acumular esses metais. No começo da década de 1970, os EUA passaram a emitir dólares sem lastro, sepultando de vez o conceito de "moeda lastreada" ou "câmbio metálico". Atualmente, a grande maioria das moedas nacionais é emitida sem lastro, tendo como único elemento regulador a responsabilidade dos Estados com essa emissão. Esse é o conceito de "moeda fiduciária", ou seja, uma moeda emitida sem lastro, tendo como única garantia a confiança que os cidadãos têm no Estado. A palavra "fiduciário" vem de "fé", ou "confiança", que descreve a fé que os agentes econômicos têm no Estado para emitir a quantidade necessária de moedas para cada situação. Assim, o dólar norte-americano passou a ser uma moeda fiduciária e o "lastro" dele passou a ser a confiança que boa parte do mundo tinha nele, ou seja, no governo dos Estados Unidos.

O II PND definiu investimentos em pontos fundamentais para a sustentação do desenvolvimento econômico. Importante lembrar que, apesar da explosão do preço do petróleo, em pouco tempo voltou a oferta de dólares "baratos" no mundo, com os chamados *petrodólares* provenientes do superávit comercial dos países exportadores.

Estado, iniciativa privada e capital externo foram, também, a base da implementação do II PND. Era, como afirmamos, uma forma de fazer a economia crescer apesar da significativa contração da economia mundial.

O II PND possuía características particulares quando comparado ao I PND, mas os dois planos davam protagonismo para o investimento em infraestrutura e para a ocupação de fundos territoriais, com a abertura de fronteiras agrícolas para a produção de soja, milho etc. Porém, diferentemente do I PND, o novo plano visava a substituição de importações estratégicas, principalmente do petróleo e seus derivados.

Nesse ínterim, o Brasil ampliou sua base energética de maneira rápida, investindo em grandes complexos hidrelétricos. O principal deles foi a aceleração das obras da Usina Hidrelétrica Binacional de Itaipu, iniciada em 1971. Além disso, é importante destacar o investimento público em energias alternativas, caso do festejado Proálcool, criado em 1975. Destaque também para a grande ampliação das capacidades de exploração e prospecção de petróleo da estatal Petrobras, que ampliou significativamente o desenvolvimento de tecnologia nacional, em parceria, em especial, com a Universidade Federal do Rio de Janeiro, e passou a explorar com grande intensidade o petróleo da plataforma marítima continental.

O II PND foi o último plano do Brasil marcadamente desenvolvimentista. Seus resultados foram surpreendentes, de maneira que o país chegava à década de 1980 com um acúmulo de indústrias avançadas no contexto de países em desenvolvimento, como foi o caso da informática, da indústria nuclear e da missílica. Apesar da crise internacional, o ritmo do crescimento econômico havia se mantido entre os maiores do mundo:

1974	1975	1976	1977	1978
8,1%	5,1%	10,2%	5,0%	5,0%

Além disso, grandes obras de integração territorial estavam em curso.

Mais uma vez, o Brasil deu provas do grande potencial de sua economia, de sua vocação para tornar-se uma potência mundial. Em meio a uma crise econômica mundial, conseguiu firmar-se em setores estratégicos, principalmente de energia.

7.6 Quinze de março de 1979, o general Figueiredo assume e vem a maior crise

Em anos anteriores a agosto de 1979, o juro no mercado internacional oscilava entre 6% e 10% ao ano. Foi quando o presidente Jimmy Carter (1924) indicou Paul Volcker (1927-2019) para dirigir o FED (Federal Reserve), que é o Banco Central norte-americano. Para controlar a inflação nos Estados Unidos, o FED resolveu elevar as taxas de juros com o objetivo de recolher dólares do mercado internacional. Em junho de 1981, os juros chegaram a 20% ao ano. Com isso, o Brasil, que tinha dívida em moeda estrangeira equivalente à quarta parte de seu PIB, passou, de uma hora para outra, para uma dívida externa acima de 50% do Produto Interno Bruto brasileiro. Como consequência imediata, o II PND entrou em graves dificuldades.

Esse aumento dos juros controlou a inflação dos EUA, mas sua economia entrou em recessão. Embora tenha sido por período não muito longo, a retração da economia americana ajudou a agravar ainda mais a situação de países da América Latina, que, além do fulminante aumento da dívida externa, dependiam muito das compras de seus produtos pelo mercado americano.

Alguns países decretaram moratória da dívida, ou seja, a suspensão do pagamento. No caso do Brasil, foi decretada moratória dos juros da dívida.

Tudo o que foi decidido pelo governo dos Estados Unidos aconteceu sem nenhuma consideração com as consequências para os outros países. Como se imaginava, colocaram a culpa do problema na "irresponsabilidade exclusiva dos países prejudicados". Faziam críticas especialmente ao Brasil, com sua política econômica que o levou a um fantástico crescimento.

É bom o leitor perceber que o jogo de nações mais fortes militar e economicamente, como os EUA, é jogado estritamente de acordo com seus próprios interesses, o que, em muitos casos, significa "dificultar a vida" de outras nações e, em alguns casos, até obstruir projetos de desenvolvimento delas.

Entre outras medidas, o governo brasileiro decidiu desvalorizar a moeda brasileira em relação ao dólar para ganhar fôlego nas exportações, na tentativa de conseguir diminuir o enorme prejuízo com o crescimento abrupto de sua dívida externa e equilibrar a balança de pagamentos[26].

Tudo isso acelerou o processo inflacionário, servindo como uma espécie de embrião para a crise inflacionária da década de 1980, que foi chamada de a "Década Perdida": baixo crescimento, inflação alta e déficit fiscal. A crise de liquidez[27], somada à quase impossibilidade de tomada de empréstimos externos, impediu a continuidade do II PND nos moldes previstos. Na verdade, os empréstimos que se conseguiam eram usados basicamente para pagar juros da dívida externa, não mais para financiar o desenvolvimento econômico do país. Começou aí o atoleiro em que o Brasil se deixou entrar e do qual, incrivelmente, ainda não saiu.

7.7 A crise internacional do final da década de 1970 e sua relação com o Brasil

Em 1979 a Revolução Islâmica no Irã, país que é grande produtor de petróleo, levou, em pouco tempo, ao chamado "segundo choque do petróleo".

Como já afirmamos, em função da política econômica de elevação dos juros internacionais por parte dos Estados Unidos, quem tinha dólares para aplicar "corria para lá". Assim, o mundo acabou ficando com pouca oferta de dólares.

---

[26] "Balança de pagamentos" é a ferramenta que um país utiliza para registrar a quantidade de capitais que entram e saem do país em função da dinâmica do comércio internacional, composta por importações e exportações. Junto com outros índices, como o crescimento do PIB, é importante para as decisões dos governos sobre a política econômica a ser feita.

[27] "Crise de liquidez" refere-se à falta de capacidade de obter recursos para saldar uma dívida de imediato, embora possa haver condições de fazê-lo em prazo mais longo.

Essas foram, de forma resumida, as raízes da "crise da dívida", agravada logo no início da década de 1980, quando os banqueiros dos países centrais enquadraram os países que adotavam modelos de desenvolvimento parecidos com o brasileiro, e passaram a cobrar a dívida com juros bem acima do tacitamente combinado.

Durante os anos de 1980, o Brasil foi impedido de fazer uso de créditos internacionais para desenvolvimento, ficando alijado do sistema financeiro. Os credores, hipocritamente, alegavam a "irresponsabilidade" com empréstimos estrangeiros feitos anteriormente. Aliás, empréstimos internacionais antes amplamente oferecidos a juros baixos.

7.8 Uma tentativa de salvar a economia?

Apesar de tudo, o crescimento do PIB em 1980 chegou a incríveis 9,3%. Por outro lado, a crise da dívida no final do ano de 1980 colocou toda a economia brasileira em uma situação muito delicada, e o PIB de 1981 caiu para -4,2% além de a inflação explodir para perto de 100% ao ano.

Para salvar a economia e evitar uma quebradeira geral com o descontrole da dívida externa brasileira, tanto a pública como a privada, o governo federal aumentou o seu controle sobre a economia, chegando a assumir a dívida de empresas, especialmente as que haviam tomado empréstimos externos vultosos, cujos juros foram elevados abruptamente, de forma unilateral, pelos bancos credores.

Além disso, o governo comprou ações de empresas e até as próprias empresas, para impedir lacunas na produção nacional.

Assim sendo, o governo Figueiredo assumiu a dívida de empresas brasileiras que estavam com elevado nível de endividamento externo, o que foi feito tendo em vista dois objetivos:

- em primeiro lugar, assumindo a dívida dos empresários, o governo evitaria a falência encadeada de empresas, a famosa "quebradeira", impedindo o colapso da economia nacional;

♦ em segundo lugar, acreditava-se que tal conduta daria mais possibilidades para o governo fazer a gestão da crise econômica e negociar com os credores internacionais".

A estatização da dívida externa brasileira é um fato significativo para compreendermos nossa história recente. Tal medida se mostrou custosa para a economia nacional e para o dispositivo administrativo governamental. À época, boa parte do PIB nacional acabou sendo gerada no setor estatal[28].

ALGUMAS CONSEQUÊNCIAS DA DITADURA NA ECONOMIA

I. Apesar de adotar, na maior parte do tempo, uma política econômica com planejamento e centrada no desenvolvimento, a falta de diálogo com a nação, própria de governos autoritários, dificultou muito a busca de ajustes que dariam condições para evitar muitas das crises vividas até hoje pelo Brasil.

II. A continuidade da democracia, mesmo com todas as dificuldades da época, teria dado sustentabilidade ao desenvolvimento econômico brasileiro em andamento e levado o país a um patamar muito superior de desenvolvimento social e cultural.

III. Apesar de ficar claríssima a enorme capacidade de o Brasil crescer com planejamento, o modelo de aceleração do crescimento muito dependente de empréstimos externos mostrou-se vulnerável.

IV. Mesmo com Ditadura, a existência e execução de planos nacionais de desenvolvimento foram centrais para a continuação do notável avanço econômico do país.

V. A manutenção da política econômica desenvolvimentista, iniciada por Getúlio Vargas, com o Estado coordenador e, em determinadas situações, indutor do desenvolvimento, foi fundamental. Aliás, a história das nações desenvolvidas mostra o papel decisivo do Estado.

VI. A excessiva presença estatal, por outro lado, pode ter inibido o fortalecimento ou a criação de grupos econômicos nacionais mais consistentes e duradores.

VII. O excesso de empréstimos externos fez o governo perder boa parte do seu protagonismo na definição dos interesses básicos do país. Aos poucos, as multinacionais foram dominando nossa economia, tornando mais penosa a realização de planos de desenvolvimento para o Brasil no setor industrial, no de serviços e até na agricultura.

VIII. O descontrole criado com a estatização da dívida privada acabou por tornar ainda mais disfuncional e até caótica a política econômica brasileira.

---

[28] BRUM VIEIRA, Friederick. *Modelo travassiano – A geopolítica que guia o Brasil na ditadura e na democracia*. 2. ed. Rio de Janeiro: Milênio, 2008.

Ficou decidido que empresas estatais só podiam investir por meio de empréstimos externos, e sua poupança não era reinvestida. Por outro lado, as empresas privadas tinham o dinheiro do BNDE, subsidiado. As estatais passaram a ser chave no controle da inflação, segurando os preços das tarifas públicas, já que o dinheiro para seus necessários investimentos vinha de empréstimos externos. Desse modo, os preços contidos pelas estatais serviam de subsídios às empresas privadas. Essas facilidades oferecidas ao empresariado resultavam em apoio à, então, penosa sobrevivência da Ditadura, o que pode ter ajudado a prolongar sua duração.

Apesar de tudo, ainda embalado pelo chamado desenvolvimentismo, ou seja, pelo longo tempo de apoio econômico-público à atividade produtiva, o crescimento do PIB, enquanto Figueiredo foi presidente, oscilou bastante, mas o período teve saldo positivo:

1979	1980	1981	1982	1983	1984
6,8%	9,2%	-4,2%	0,8%	-2,9%	5,4%

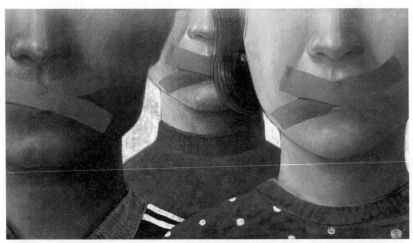
© Jorm Sangsorn / istockphoto

8. Participação do Estado no desenvolvimento econômico

8.1 Períodos de maior participação do Estado na economia
Com base no que foi discutido, podemos estabelecer três períodos de maior participação do Estado na economia brasileira:

1) **Entre 1930 e 1960:** nesta fase, a criação de empresas estatais foi feita com alto grau de racionalidade. Eram as chamadas indústrias de base, que tinham o objetivo de dar sustentação à industrialização brasileira, além de permitir a exploração dos recursos naturais brasileiros, voltados eminentemente aos interesses da nação.

Destaque para a Companhia Siderúrgica Nacional, a Companhia Vale do Rio Doce, a Petrobras e a Eletrobrás.

2) **Entre 1960 e 1979:** o estreitamento da aliança entre setores do empresariado, tecnocratas e militares levou à expansão da presença do setor público brasileiro na economia, voltado à "ocupação de espaços vazios" dentro da produção nacional.

O Estado investia, muitas vezes com dinheiro de empréstimos internacionais, para complementar a cadeia produtiva, alavancando com isso outros setores da economia privada nacional. Isso dava muita segurança para os investimentos de empresários brasileiros.

Merece ser citada a *indústria da defesa*, fortalecida com investimento público já no início dos anos 1960, antes da Ditadura.

Esse setor industrial acabou por impulsionar outras indústrias privadas e públicas, como é o caso da indústria de motores, a metalurgia, a indústria química e a indústria de material aeronáutico. Ficaram conhecidas com importante participação nesse ramo, além da Embraer, empresas como a Engesa (fundada em 1963), a Imbel (reorganizada em 1975), a Avibras (fundada em 1961), entre tantas que produziam desde carros de combate até cutelaria. No caso da Embraer, políticas dentro da própria empresa foram voltadas para estimular o parque industrial paulista a fabricar peças aeronáuticas para manutenção de aeronaves, até então importadas, contribuindo muito para a sofisticação da indústria brasileira como um todo.

Há que se destacar, nesse período, a vital importância da criação de empresas públicas, como a Empresa Brasileira de Pesquisas Agropecuárias (Embrapa), em dezembro de 1972, decisiva para pujança do agronegócio no Brasil, como já mencionamos. Podemos citar outras empresas públicas de grande importância estratégica para integrar e estruturar o país, como Telebrás (1972), Correios (1969), Infraero (1973), Embraer (1969).

3) **A partir de 1980:** em 1973 havia acontecido o *primeiro choque do petróleo*. Em 1979, ocorre o *segundo choque do petróleo*, que, como vimos, trouxe dificuldades imensas ao Brasil. No caso do primeiro choque, o governo respondeu com um forte investimento que ampliou em muito a capacidade da Petrobras. Empréstimos externos foram tomados porque continuou havendo dólares a juros módicos, os chamados "petrodólares". Porém, o segundo choque do petróleo ocorreu na mesma época em que o presidente americano Jimmy Carter resolveu mais que dobrar os juros para resolver os problemas internos de seu país. A consequência foi a insolvência da dívida externa, colocando em xeque o esforço de manter acelerado o desenvolvimento econômico do país. Além do Brasil, o aumento dos juros americanos para até 20% ao ano, em 1980, teve graves consequências para vários países da América Latina que, em geral, tinham dívidas externas elevadas e nem sequer imaginavam uma alta unilateral e tão grande dos juros. Os bancos credores formaram um cartel para pressionar esses países, sem levar em conta a gravidade da crise que estes sofreriam.

Por um **Brasil Unido** e Forte

O EMB-110 Bandeirante foi o primeiro avião da Embraer e um sucesso de vendas. Pensado para fazer transportes leves em pistas não pavimentadas o EMB-110 foi vendido no mundo todo. O coronel Ozires Silva, destacado engenheiro e ministro, foi o idealizador do Bandeirante e da própria Embraer. Segundo a sua concepção, a Embraer deveria avançar sobre nichos não explorados pelas grandes fábricas e exportar para o mundo inteiro. Tal mentalidade fez da empresa brasileira uma campeã de vendas desde o início.

Fonte: http://www.armasnacionais.com/2018/10/embraer-emb-110-c-95-bandeirante.html

EMBRAER 195

Um dos maiores sucessos comerciais da Embraer, o E-195 acomoda mais de 100 passageiros e é adotado por várias empresas aéreas internacionais.

Fonte: https://www.jetphotos.com/photo/10643846

O EMBRAER KC 390 MILENIUM

Um dos novos projetos da Embraer, o KC 390 é um avião militar cargueiro com motores a jato destinado a substituir na FAB os C-130 Hércules, de fabricação estadunidense. O avião foi projetado também para atender demandas do mercado internacional militar e aproveitar o nicho que será deixado pelo C-130 Hércules na maior parte das forças aéreas do Ocidente.

Fonte: https://embraer.com/br/pt/noticias/?slug=1206802-c-390-millennium-recebe-o-grand-laureate-de-defesa-concedido-pela-aviation-week

EMBRAER LEGACY 600
Avião executivo que fez seu primeiro voo em 2001, o Legacy 600 foi concebido para consolidar a posição da Embraer em um mercado que ela já domina, que é o de aviões comerciais pequenos e executivos. A Embraer é uma das poucas indústrias de ponta do Brasil que exportam para todo o mundo.
Reprodução. Disponível em: https://commons.wikimedia.org/wiki/File:Embraer_legacy_600_g-irsh_arp.jpg

A INDÚSTRIA AERONÁUTICA BRASILEIRA[29]

Parece contraditório que a terra natal de Santos Dumont (1873-1932) tenha entrado tardiamente no setor aeronáutico. Na verdade, esse paradoxo ilustra a realidade do Brasil da transição do século XIX para o século XX: muita criatividade contrastando com estruturas sociais precárias, para não dizer arcaicas.

As primeiras indústrias aeronáuticas surgiram no Brasil na década de 1930, graças à ação incentivadora do governo Vargas.

Em 1931 foi fundada a Empresa Aeronáutica Ypiranga; em 1933 veio a Fábrica de Lagoa Santa, em Minas Gerais; Oficinas Gerais de Aviação Naval (mantida pelo Ministério da Marinha). Em 1942, nascia a Companhia Aeronáutica Paulista (CAP). Também na década de 1930 foi fundada a Fábrica Brasileira de Aviões, um braço fabril da Companhia Nacional de Navegação Aérea e que foi líder da construção aeronáutica do Brasil da época.

Todas essas foram iniciativas de escala reduzida e um tanto tardias, quando comparadas com os esforços dos países de capitalismo central. O advento da Segunda Guerra Mundial e a enorme pressão comercial e política feita pelos EUA sobre o Brasil no começo da guerra fria praticamente anularam esse esforço, e a maioria das fábricas encerrou suas atividades na transição da década de 1940 para a década de 1950.

O final da Segunda Guerra Mundial fez crescer a oferta de aviões estrangeiros no mercado internacional, e a produção brasileira no setor não tinha condições de concorrer com a indústria dos países centrais. Além disso, era grande a pressão dos EUA pela abertura do mercado brasileiro. Com efeito, não interessava aos EUA um Brasil próspero e dotado de desenvolvimento tecnológico e poder militar.

Só foi possível ao Brasil contar com uma indústria aeronáutica de dimensões consideráveis na década de 1960, época em que o país aperfeiçoou sua base industrial e universitária. Nesse sentido, foi decisiva a criação anterior de centros de estudos avançados para a área da aviação.

---

[29] Baseado em: MENDONÇA, Tiago Starling de. *Construção aeronáutica no Brasil*. Rio de Janeiro: Instituto Histórico-Cultural da Aeronáutica, 2016.

> Em 1946, logo após o fim da Segunda Guerra, se inicia a montagem do *Centro Técnico de Aeronáutica* (CTA), Em 1950 é fundado o Instituto Tecnológico de Aeronáutica, o ITA, escola de excelência em engenharia. Taís centros foram criados para formar quadros especializados e produzir tecnologia para a indústria nacional. Empresas importantes como a AVIBRÁS e a AEROTEC foram fundadas por ex-alunos do ITA, para citar dois exemplos.
>
> Durante a década de 1950, a única indústria aeronáutica que o Brasil contava era a Sociedade Construtora Aeronáutica Neiva, que fabricava planadores e aviões de pequeno porte.
>
> Nos anos de 1960 surgiu a possibilidade de produção, no Brasil, de um avião de maior porte que poderia decolar e aterrissar em pistas não pavimentadas. Tal projeto nasceu de uma reunião feita entre José Carlos de Barros Neiva (então do grupo Neiva), Joseph Kovacz, Max Holste, famoso projetista francês, e o então engenheiro e major da FAB Ozires Silva.
>
> O projeto daria origem ao avião "Bandeirante", e Ozires Silva teve o mérito de entender a importância da ideia, uma vez que o avião iria ocupar um nicho do mercado mundial de aviões não explorado pela indústria dos países centrais.
>
> A grande questão do "Bandeirante" é que faltava ao Brasil capacidade industrial para a sua produção.
>
> Uma reunião entre Ozires Silva e o então presidente do Brasil à época, Costa e Silva, resultou na decisão de fundar uma indústria de aviões de maior porte, que deveria se chamar Embraer – Empresa Brasileira de Aeronáutica.
>
> Com franco apoio do CTA, do ITA e do governo federal, a Embraer tornou-se uma das empresas aeronáuticas mais respeitadas do mundo e cresceu à medida que conseguiu explorar nichos esquecidos pelas indústrias dos países centrais e assimilar *expertises* e novas tecnologias por meio de parcerias internacionais.

9. O colapso da Ditadura

A história recente do Brasil revela um grande esforço de lideranças políticas, econômicas e sociais no sentido de superar as feridas da Ditadura e construir um novo sistema político para o pós-1985, quando se encerraria o governo do general João Batista Figueiredo, que convivia com uma forte crise econômica. As articulações se aceleraram depois da conquista da Anistia Política em agosto de 1979.

Se, por um lado, o período militar preservou as bases do *nacional-desenvolvimentismo* que trouxe grande crescimento econômico, por outro, privou boa parte da população de desfrutar de suas conquistas. Impediu um maior crescimento e estabilidade do mercado interno que daria mais sustentação ao progresso econômico do país. Ampliou a precarização da vida urbana no Brasil, além de naturalizar a violência de polícias sobre cidadãos pobres e os opositores.

Como já dissemos, a prepotência e a violência da Ditadura acabaram por ceifar duas gerações de importantes cientistas, engenheiros, artistas, líderes sociais e políticos patriotas. Além disso, com o poder legislativo, especialmente o Congresso Nacional, mantido de forma decorativa, a sociedade tinha pouca ou nenhuma participação ou previsão de decisões de governo.

Certamente, se tivéssemos democracia, grande parte dos que foram perseguidos teria dado contribuições valiosas, já que a imensa maioria poderia estar ao lado de vigorosas e sustentáveis ações para o desenvolvimento econômico, cultural e social do Brasil.

Desde o início do século XX, os momentos de maior liberdade fizeram surgir grandes personagens em todos níveis da atividade humana no Brasil. Contudo, a situação institucional da República logo após a Segunda Guerra Mundial continuou instável: parte significativa da elite militar que combatera na Itália em 1945 e se formara em torno da doutrina internacionalista da Junta Interamericana de Defesa (JID)[30] procurava a todo custo tomar o poder, enquadrando como inimigos o nacionalismo varguista, de matriz trabalhista, e uma suposta ameaça comunista.

O regime que tomou o país após o golpe de 1964 representou o estrangulamento do sistema político então estabelecido, com a caça de direitos políticos e grandes prejuízos para as liberdades individuais. Os atos institucionais representaram sérias deformações ao sistema

---

[30] A Junta Interamericana de Defesa (JID) é uma organização internacional que funciona, atualmente, no âmbito da Organização dos Estados Americanos (OEA). De natureza militar, a JID congrega oficiais das Forças Armadas dos Estados signatários da OEA, com o objetivo de discutir problemas atinentes à defesa hemisférica e à formulação de doutrina comum. Basicamente, foi a JID que formulou a doutrina da segurança nacional, que foi dominante no contexto militar dos grandes Estados da América Latina durante a guerra fria. Países como Brasil, Argentina, México e Chile, para citar os maiores expoentes, conceberam o "Inimigo interno" como principal ameaça à ordem política. Segundo Moniz Bandeira (2003), o segundo quinquênio da década de 1960 foi marcado pela disputa entre os governos do Brasil e da Argentina pela subliderança dentro do dispositivo de defesa do hemisfério ocidental. Paradoxalmente, a doutrina da JID culminou com um programa de cooperação militar no âmbito das informações, a "Operação Condor", que consistiu em informações e ações conjuntas entre as ditaduras instaladas na América do Sul, para caçar e assassinar os opositores que conseguiam escapar dos seus respectivos países.

político, que se fechava gradativamente, tornando o poder legislativo apenas decorativo.

Toda constelação partidária existente no período anterior a 1964 foi resumida em apenas dois partidos: a Aliança Renovadora Nacional (ARENA), que era o partido governista, e o Movimento Democrático Brasileiro (MDB), que fazia uma oposição consentida ao regime.

Em boa medida, as deformações e o pouco espírito público de boa parte dos congressistas nos dias de hoje são consequência direta da longa duração da Ditadura.

A Ditadura Militar, que também foi civil em parte, só pode ser chamada de "regime militar" por cortesia literária. Nós dizemos isso porque, em um "regime político" democrático, a sucessão de lideranças deve acontecer de maneira transparente, regida por leis de conhecimento geral. Na Ditadura, essas leis não existiam, e a sucessão presidencial acontecia na obscuridade, sem uniformidade de processo. A ausência de eleições diretas e a violência política levaram a dois fenômenos desestabilizadores:

- Surgiram no seio da sociedade civil organizações armadas que, sem condições de derrotar o "regime" pela via legal, eleitoral, realizaram atos que acabaram ajudando setores mais radicais das Forças Armadas a justificar a continuidade da Ditadura;

- O dissenso dentro da própria elite militar acabava por tirar a estabilidade do governo, dado o risco de se evoluir para uma situação de maior arbítrio e violência. A esse respeito, merece ser citada, como exemplo, a tentativa, em outubro de 1977, de um novo golpe de Estado organizado pelo general Silvio Frota (1910-1986), que não aceitava qualquer abertura política do regime, contra Ernesto Geisel. O atentado a bomba no centro de convenções chamado

Riocentro[31], em 1981, é outro exemplo de como a situação poderia ter se deteriorado.

Vários fatores, além da pressão popular por democracia, culminaram em 1984 no grande movimento das *Diretas Já*, por eleições diretas para presidente. A abertura política foi um longo processo de negociação, no qual políticos liberais alojados no MDB, especialmente Tancredo Neves (1910-1985) e Ulysses Guimarães (1917-1992), tiveram lugar de destaque.

Vale registrar que em 1974, com o pouco de liberdade permitida em eleições, o regime foi fragorosamente derrotado nas urnas, perdendo o controle do Senado e de boa parte da Câmara. A partir daí, o regime editou o conhecido "Pacote de Abril", que iniciou "reformas" para retomar o controle do Congresso, mesmo que este, à época, pouco poder tivesse. Muitas das reformas do longo processo de abertura política tiveram consequências negativas para a reconstrução do sistema político brasileiro, com sérias repercussões até os nossos dias.

---

[31] O episódio do Riocentro foi uma tentativa de atentado a bomba, felizmente fracassado, no Centro de Convenções do Riocentro, na capital do estado do Rio de Janeiro. O ato ocorreu na passagem do dia 30 de abril para 1º de maio de 1981 e tinha como alvo as comemorações do Dia do Trabalho que ocorriam no Centro de Convenções. Os envolvidos no atentado eram dois militares do Exército: o sargento Guilherme Pereira do Rosário e o capitão Wilson Dias Machado. Durante o transporte das bombas, na noite do dia 30 de abril, uma delas explodiu acidentalmente, matando na hora o sargento Rosário e deixando gravemente ferido o capitão Machado. O governo brasileiro, com franco apoio do SNI, tentou responsabilizar a esquerda armada pelo atentado, esforço que também não logrou êxito, de maneira que a situação aflorou em forma de escândalo. Tanto Guilherme do Rosário quanto Wilson Machado faziam parte da ala mais radical das Forças Armadas, contrária à abertura política iniciada por Geisel. O escândalo do Riocentro foi um marco importante para enfraquecer a Ditadura. Mostrou, clara e publicamente, que setores mais radicais das Forças Armadas estavam dispostos a cometer assassinatos em massa para chegar ao seu objetivo de dar sobrevida ao regime militar. Se desse certo o que pretendiam, as bombas explodiriam dentro de um auditório lotado de pessoas assistindo a um show de consagrados artistas brasileiros. A ideia era causar centenas de mortes e apontar opositores da Ditadura como responsáveis. Mostrou, também, que as Forças Armadas brasileiras não formavam um grupo monolítico, e que seus diferentes grupos divergiam a respeito da condução da política brasileira.

> **O PACOTE DE ABRIL**
>
> O Pacote de Abril foi uma sequência de reformas constitucionais implementadas por Ernesto Geisel nos primeiros dias de abril de 1977. Considerado um grande retrocesso na abertura política que estava em curso, a reforma enfraqueceu o MDB e deu mais poder ao presidente da República sobre o processo de abertura.
>
> O pacote foi uma reação do governo às sucessivas perdas de cadeiras no legislativo federal. Nas eleições de 1974, o MDB obtivera estrondosa vitória, elegendo 16 das 22 cadeiras que estavam em disputa no Senado. Nesse sentido, uma das preocupações do Pacote de Abril foi garantir a maioria governista no legislativo federal, especialmente no Senado. A reforma criou mais um senador por estado e instituiu que um terço dos senadores seriam "eleitos" por eleições indiretas, ou seja, indicados pelo governo. (Tais parlamentares ficaram conhecidos como "senadores biônicos".
>
> Em 1º de abril de 1977, Geisel ordenou o fechamento do Congresso e, fazendo uso do AI-5, promoveu reformas que levaram a um novo endurecimento do regime. Entre as reformas implementadas, podemos pontuar as seguintes:
>
> - ampliação do mandato presidencial de cinco para seis anos;
> - eleições indiretas para governador;
> - alteração do quórum de dois terços para maioria simples em votação de emendas constitucionais no Congresso;
> - restrição da propaganda eleitoral nos estados e municípios, por meio da "Lei Falcão";
> - ampliação do número de cadeiras no legislativo federal para os estados menos desenvolvidos, onde a ARENA costumava ser mais forte.

Como já afirmamos, logo após a instalação da Ditadura, em 1º de abril de 1964, a expectativa do próprio general Castelo Branco, primeiro a ser nomeado presidente, era que a permanência dos militares no poder fosse curta, mas durou 21 anos. A política econômica altamente concentradora de riqueza, a violência política e a falta de liberdades sufocaram a sociedade. A partir de 1984, imensas manifestações de rua passaram a exigir eleições para presidente da República, num movimento que ficou conhecido como *Diretas Já*.

Apesar de a mobilização popular chegar a muitos milhões, a votação da chamada emenda Dante de Oliveira, que restabelecia eleições diretas para presidente, não conseguiu os dois terços de votos necessários que instituiria imediatamente as eleições diretas.

Faltaram apenas 22 votos, ou seja, só mais 4% do Congresso. Novamente indireta, a eleição ocorreu no Colégio Eleitoral, que, desta vez, elegeu Tancredo Neves (1910-1985) como presidente da República do Brasil.

10. A ascensão de Sarney, o vice, à Presidência da República

Tancredo montou seu governo de notáveis em longas negociações com as diferentes forças políticas do país. No entanto, uma grave doença o acometeu um dia antes de sua posse. A ausência do presidente eleito no momento da posse trouxe a preocupação de um eventual risco ao processo de abertura política em andamento.

Não havendo a posse do titular do cargo, avaliava-se que quem deveria assumir interinamente seria o presidente do Congresso Nacional, no caso, Ulysses Guimarães. Temendo o retrocesso do processo de abertura e um vácuo de poder que poderia trazer de volta os militares, Ulysses e senadores como Fernando Henrique Cardoso (1931) e Severo Gomes (1924-1992), além de outras lideranças políticas da época, preferiram apoiar a posse do então vice, Sarney (1930), como presidente[32].

10.1 José Ribamar Ferreira de Araújo Costa: José Sarney

Figura originária da ARENA, partido de sustentação do regime autoritário e bem menos comprometido com a luta democrática do que Ulysses, o maranhense Sarney era o político civil indicado pelo Colégio Eleitoral[33] como vice-presidente. Portanto, substituiria Tancredo em seus

---

[32] GABRIEL DE PIERI, Eliseu. *Brasil soberano: um plano nacional pós-neoliberalismo*. 2. ed. Brasília: Fundação João Mangabeira, 2009.

[33] Colégio Eleitoral é um conselho de notáveis estabelecido no âmbito de um sistema político para eleger o chefe de Estado, por meio de um *"sufrágio limitado"*. A Constituição que foi promulgada pela Ditadura Militar no dia 24 de janeiro de 1967 estabelecia que os presidentes brasileiros deveriam ser eleitos por Colégio Eleitoral. Inicialmente, tal colégio seria composto por membros do Congresso Nacional e delegados indicados pelas Assembleias Legislativas de cada estado, cujo número era determinado pela proporcionalidade do número de eleitores de cada estado. A Ditadura fez de tudo para garantir o controle sobre o Colégio Eleitoral e com o "Pacote de Abril" de 1977. Mais especificamente no ano de 1982, o número de delegados estaduais foi uniformizado, uma vez que o apoio à Ditadura era maior nos estados menos desenvolvidos da União. Contudo, em 1985 o regime militar estava muito desgastado e seus defensores divididos, de maneira que a oposição conseguiu ocupar mais espaço dentro do Colégio Eleitoral. Assim, uma dissidência da ARENA, a "Frente Liberal", que se opunha à ascensão de Paulo Maluf (1931) como presidente da República, compôs chapa com o PMDB, lançando Tancredo Neves como candidato a presidente e José Sarney como vice-presidente, o que garantiu a vitória da oposição em 1985, encerrando oficialmente a Ditadura.

impedimentos. Sua posse aconteceu em 15 de março de 1985 e foi malvista por vários setores da sociedade, sendo que o último presidente militar, general João Batista Figueiredo (1918-1999) se recusou a passar a faixa presidencial para Sarney. Infelizmente, Tancredo não se recuperou e faleceu em 21 de abril de 1985, e Sarney tornou-se, a partir daí, o titular do cargo.

As décadas de 1980 e 1990 foram marcadas por uma sequência de fenômenos complexos, tanto no âmbito interno como no internacional. Do ponto de vista doméstico, a saída dos militares do poder não redundou em uma reforma política completa, uma vez que boa parte das oligarquias que dominavam o Congresso e muitas instituições públicas continuaram no poder depois do fim do regime militar e da redemocratização.

Tal fato faz do fisiologismo uma das marcas permanentes da atual política brasileira. A prova maior disso é que o próprio José Sarney foi membro da ARENA até a década de 1980, passando a compor os quadros do MDB pela conveniência de ser vice de Tancredo.

O governo Sarney representou uma descontinuidade entre duas eras. Com a prioridade de controlar a hiperinflação e negociar a dívida pública, seu governo se mostrou pouco eficiente, muito por causa das dimensões alcançadas pelo processo inflacionário.

Outro aspecto gravíssimo a ser enfrentado foi a corrosão da máquina pública pelo autoritarismo: falta de transparência e privilégios corporativos cristalizados ao longo de 21 anos de Ditadura.

Em seu governo foram acertadas as últimas medidas que completaram o processo de abertura política: promulgação da Constituição de 1988 e as eleições de 1989, as primeiras eleições diretas para presidente a ocorrerem no país desde 1960.

10.2 A ruína de Sarney

O mandato de Sarney estava previsto para durar quatro anos, como determinado na eleição de Tancredo pelo Colégio Eleitoral. A Constituição de 1988 também confirmou o mandato de presidentes da República de quatro anos. No entanto, aconteceu a decisão completamente inoportuna de Sarney de buscar mais um ano de mandato, completando cinco anos no poder.

A consequência disso foi uma profunda desorganização das forças políticas do país, o que atrapalhou muito o caminho da retomada do país como nação desenvolvida e autônoma.

Durante dois anos, o presidente Sarney buscou o apoio do Congresso para essa empreitada e conseguiu da maneira mais torpe: incensou o nascimento do agrupamento de parlamentares no Congresso Nacional autodenominado *Centrão* e desnudou o *"toma lá, dá cá"*.

A frase lapidar de um de seus mais importantes líderes à época, o deputado federal paulista Roberto Cardoso Alves (1927-1998), o "Robertão", resumia claramente a motivação desse grupo: *"É dando que se recebe"*.

Ainda assim, o país cresceu, embalado pela força ainda viva da economia direcionada para o desenvolvimento da nação, construída a partir da década de 1930 e continuada por sucessivos governos. Seguem os números da variação do PIB nesse período:

1985	1986	1987	1988	1989
7,8%	7,5%	3,4%	-0,1%	3,2%

As razões de Sarney para enfrentar esse desgaste político por mais um ano de mandato até hoje não estão bem explicadas. Seria apenas uma vaidade pessoal?

Outra hipótese seria a pressão de grupos de interesse econômico decididos a eliminar a possibilidade de, numa eleição em 1988, logo após as grandes mobilizações do processo da Constituinte, figuras como Ulysses Guimarães, Franco Montoro (1916-1999), Mario Covas (1930-2001) ou Leonel Brizola chegarem à Presidência.

Esses brasileiros tinham, em 1988, grande prestígio popular, e certamente um deles venceria as eleições previstas para acontecer naquele ano.

A verdade é que um ano depois, em 1989, a condução do país por Sarney desmoralizou muito a política, tornou a crise econômica insustentável e abriu espaço, com o apoio de grandes grupos de comunicação, para a eleição do inexperiente e espalhafatoso jovem de 40 anos Fernando Collor de Mello (1949-). E deu no que deu.

Por um **Brasil Unido** e Forte

Fonte: https://oglobo.globo.com/politica/ulysses-guimaraes---100-anos/ulysses-guimaraes-100-anos-pedra-da-democracia-20242581

ULYSSES GUIMARÃES

Um dos mais importantes políticos brasileiros, Ulysses Guimarães foi um dos grandes responsáveis pela abertura política brasileira. Homem de convicções democráticas, nunca perdeu de vista a importância de um país unido e forte, democrático e soberano.

Foto: Arquivo Agência Brasil

Eliseu Gabriel • Marcos Fávaro

Manifestação impulsionou movimento por eleições diretas para presidente

Reprodução. Disponível em: https://contrafcut.com.br/noticias/comicio-da-se-em-1984-pela-campanha-das-diretas-ja-completa-30-anos-6427/

Foto do grande comício pelas Diretas Já, que aconteceu em São Paulo, na Praça da Sé, no dia 25 de janeiro 1984. Estavam presentes Franco Montoro, governador de São Paulo; Leonel Brizola, governador do Rio de Janeiro; José Richa, governador do Paraná; Ulysses Guimarães, presidente do Congresso Nacional; lideranças como Luiz Inácio Lula da Silva, Fernando Henrique Cardoso, Mario Covas e os principais artistas e intelectuais de renome nacional. O condutor do evento foi o radialista e locutor Osmar Santos.

Reprodução. Disponível em: http://memorialdademocracia.com.br/card/diretas-levam-milhoes-as-ruas-do-pais

Reprodução. Disponível em: https://memoria.ebc.com.br/cidadania/galeria/videos/2014/01/diretas-ja-completa-30-anos-em-2014

Terceira Parte

O Brasil ladeira abaixo

© Cartunista Jal (José Alberto Lovetro)

1. Consenso de Washington, uma cartilha vinda de fora que muda tudo

O final da década de 1980 foi marcado por profundas transformações no cenário internacional, transformações estas que afetaram, diretamente a política doméstica brasileira, e afetam até hoje. O principal desses eventos foi o fim da Guerra Fria, iniciada em 1947 e encerrada em 1989. Por mais de 40 anos, a disputa ideológica, econômica e militar entre EUA e URSS exerceu influências negativas e positivas sobre os países da América Latina. Como influência negativa, nós já apontamos a ação desestabilizadora dos EUA e de suas agências sobre governos democraticamente eleitos.

A alegada "necessidade" de combater uma suposta infiltração comunista nos países subdesenvolvidos, ou em desenvolvimento, foi a desculpa dos EUA para defenderem seus interesses por meio do apoio direto à instalação de ditaduras em quase toda a América Latina. Particularmente aqui, o golpe de 1964 nos levou a uma Ditadura que durou 21 anos.

Um aspecto positivo da Guerra Fria para os países da América Latina foi que ela obrigou uma sequência de concessões econômicas por parte dos EUA, com o objetivo de garantir um maior desenvolvimento naquelas sociedades que estariam assombradas pelo comunismo.

Em 1989, acontece a queda do muro de Berlim que foi o maior símbolo da crise do socialismo real, acelerada ao longo da década de 1980. Em 1991, o bloco soviético é oficialmente extinto pela desativação das burocracias que lhe davam estrutura. Diante do visível enfraquecimento do bloco soviético, já no início dos anos 1980, e a derrocada final da URSS, os países de capitalismo central mudaram sua relação com os países mais fracos economicamente. Com importante mudança em suas políticas econômicas, logo passaram a pressionar as nações da América Latina a abrirem suas fronteiras aduaneiras e a desativarem seus projetos de desenvolvimento induzido, que, como vimos vinha sendo estruturado no Brasil desde a década de 1930.

1.1 O Consenso de Washington, a "pá de cal" na nossa autonomia

O maior símbolo do fim do nacional-desenvolvimentismo e da perda de autonomia foi a adesão do Brasil aos fundamentos do Consenso de Washington. Tal "consenso" começou com uma conferência de natureza para-acadêmica organizada por agências de crédito internacional, por banqueiros e pelo governo estadunidense para colocar em evidência supostas falhas e insuficiências dos modelos de desenvolvimento promovidos, especialmente, na América Latina. Nessa ocasião, o economista inglês John Williamson (1937-2001) deixou públicos dez princípios de política econômica que deveriam ser seguidos à risca pelos países, a fim de serem reinseridos no sistema econômico internacional. Esses dez pressupostos eram[34]:

I. Disciplina fiscal, com garantia de superávits fiscais.
II. Mudanças das prioridades de gastos públicos.
III. Reforma tributária.
IV. Taxas de juros positivas.
V. Taxas de câmbio estipuladas segundo as leis do mercado.
VI. Liberalização do comércio internacional.
VII. Fim das restrições aos investimentos estrangeiros.
VIII. Privatização das empresas estatais.
IX. Desregulamentação das atividades econômicas.
X. Garantia maior de direitos de propriedade.

---

[34] BANDEIRA, Luiz Alberto Moniz. *Brasil, Argentina e Estados Unidos – Conflito e integração na América do Sul (da Tríplice Aliança ao Mercosul – 1870 - 2003)*. 2 ed. Rio de Janeiro: Renavan, 2003.

Os princípios lançados pelo Consenso de Washington passaram a servir de diretrizes para as políticas públicas em várias regiões do mundo, principalmente na América Latina. Se a doutrina de segurança nacional foi a doutrina internacional vigente entre as décadas de 1960 e 1980, o **Consenso de Washington** é a doutrina internacional que vem dominando, até hoje, as políticas públicas em muitos países ocidentais, ditos em desenvolvimento. O Brasil assumiu com força essas ideias e está afundado nisso há mais de 30 anos.

As demandas apresentadas nos dez pontos de Williamson têm sido atendidas sob grande pressão e controle de organizações internacionais como o FMI. Em um primeiro momento, as medidas promoveram uma tentativa de afastar o Estado brasileiro da gestão de sua própria economia.

De acordo com essa doutrina imposta, tentava-se convencer as nações de que a própria sociedade teria capacidade para se autogerir, através do, chamado, mercado. O resultado foi um decréscimo notável no crescimento econômico, com grandes prejuízos para a oferta de empregos e mais concentração de renda.

Logo em seguida, o que se observou foram as consequências sociais catastróficas do receituário, e o Brasil ingressou no século XXI com índices alarmantes de desemprego, perigosas greves de policiais, crise energética e até saques a caminhões de comida por parte da população faminta.

1.2 O dogma[35] do Estado mínimo, essência do Consenso de Washington

A partir de 1979, graves crises internacionais levaram o governo Figueiredo a ampliar mais ainda a participação pública na economia, na tentativa de evitar uma debacle maior. A sobrecarga administrativa e financeira sobre o Estado era altíssima. Essa difícil situação ajudou a criar condições para uma forte pregação de negação radical do papel ativo do Estado Nacional no processo de desenvolvimento do país.

---

[35] Dogma é uma suposta "verdade" que não admite qualquer dúvida, nem possibilidade de questionamento ou experimentação. É como uma crença.

Em sintonia com o ideário do Consenso de Washington, com uma intensa campanha e ações capitaneadas, especialmente, por interesses externos ao Brasil, foi sendo construída uma mentalidade favorável à ideia de diminuição drástica do tamanho e das funções do Estado.

A crença de que a solução para todos os problemas da nação seria a implantação de um *Estado mínimo* foi ganhando espaço na comunidade de tomadores de decisão brasileiros, tanto no setor público como no setor privado. Tal ponto de vista, que tem se tornado quase um dogma por aqui, agilizou um processo de privatizações, necessário em alguns casos, mas profundamente equivocados em outros.

Se, por um lado, esse sentimento chamou a atenção para o risco do descontrole fiscal, por outro, irradiou a ilusão de que seria possível deixar totalmente de lado o papel do Estado no processo de desenvolvimento de uma nação como o Brasil, com enormes potencialidades, mas absurdas desigualdades. Assim, acreditou-se, e muitos no Brasil ainda acreditam, que por si só o chamado "Mercado"[36] seria capaz de planejar, dirigir e financiar o progresso da nação.

O papel do chamado, "Mercado", no processo de desenvolvimento nacional é fundamental, mas é inerente a ele agir essencialmente em prazos curtos, mais do ponto de vista dos interesses de setores empresariais específicos. Já um Estado Nacional representa o conjunto da nação e é de sua responsabilidade conduzir, com a sociedade, o planejamento do desenvolvimento por um longo tempo de duração.

Essa visão de curtíssimo prazo é o equívoco recorrente observado ultimamente nas políticas econômicas de governos de nosso país. Embora seja uma preocupação correta, só "há olhos" para o ajuste fiscal, sem qualquer outra preocupação com o desenvolvimento econômico ou com sua consequência na, já grave, crise social e sanitária que vivemos.

---

[36] No contexto deste livro, o termo "Mercado" é entendido como o conjunto de atores ligados a grandes grupos econômicos empresariais privados, especialmente os do sistema financeiro. Definem ou orientam, em cada momento, as decisões de seus investimentos, sejam especulativos ou produtivos. Pela sua gênese, é inerente a eles promover os interesses privados, que, em geral, são de curto prazo, mais imediatos. Bem diferente do que deve ser o planejamento do desenvolvimento da nação, que é de longo prazo.

Por outro lado, quando falamos em mercado interno, nos referimos às possibilidades de consumo da população como um todo.

Quando se analisa o nacional-desenvolvimentismo brasileiro, salta aos olhos os grandes méritos desse período histórico, no sentido de ter garantido crescimento e autonomia para a sociedade brasileira.

Quando comparado com os demais países da América Latina, o Brasil foi um exemplo de sucesso em seu processo de *substituição de importações*. Seus visíveis acúmulos econômicos, tecnológicos e institucionais foram garantidos por um elevado grau de continuidade de sucessivos governos, mesmo de diferentes matizes ideológicas, que conduziram a política econômica sustentada no planejamento do desenvolvimento nacional.

Uma consideração importante a ser observada é que, embora o projeto desenvolvimentista do período da Ditadura (de 1964 a 1985) tenha tido êxitos econômicos espetaculares, perdeu muito das preocupações sociais: tiraram as liberdades, os direitos sociais, impediram a organização sindical, impuseram tributação regressiva e promoveram arrocho salarial. Não aceitaram o diálogo, não deram espaço para ouvir diferentes opiniões, usaram de violência, banalizaram a tortura contra opositores, impedindo a contribuição de, pelo menos, duas gerações de importantes líderes de todos os setores da nação.

Apesar de um crescimento econômico espantoso, garantido pela grande potencialidade do Brasil e pelas estruturas do Estado Nacional, já montadas anteriormente, em especial nos governos de Vargas e de JK, as atitudes autoritárias do regime ditatorial foram parte do problema. Inibiram uma maior expansão do mercado consumidor interno e impediram a sustentabilidade do processo de crescimento da nação. Isso, em grande parte, contribuiu para desembocar na grave crise econômica, política, social, educacional, sanitária, cultural e moral que vivemos até hoje.

Em nenhuma hipótese o problema atual é derivado da presença do Estado no planejamento e incentivo ao desenvolvimento econômico do país, muito pelo contrário: sem Estado eficiente e coordenador, não há como o Mercado se sustentar.

Na transição da década de 1980 para a de 1990 o Brasil possuía o principal parque industrial do Sul geopolítico, também bastante significativo em termos mundiais. Conseguiu formidáveis acúmulos que iam da metalurgia à informática, da indústria química à construção civil, além de um expressivo avanço na produção agrícola. Mas, a década de 1990 foi marcada por sérios problemas advindos de pressões ainda maiores de credores internacionais e grandes equívocos na condução da política econômica, sem a devida preocupação com a autonomia nacional.

2. "De Fernando em Fernando..."
– descaminhos e caminhos da política econômica brasileira a partir da década de 1990

Em outubro de 1989, depois de 29 anos sem eleições diretas para presidente da República, Fernando Collor de Mello é eleito. Não tardou para esse cidadão tentar levar a "ferro e fogo" a imposição da cartilha do Consenso de Washington ao Brasil.

Inexperiente e pouco prudente, Collor atraiu para si a ira de quase todos, com políticas que incluíam o confisco de depósitos bancários e das poupanças de empresários e da população em geral. Ao criticar abertamente os diferentes grupos de pressão que agiam sobre ele, Collor foi destruindo a sua própria base de apoio até ser deposto do poder por um processo de *impeachment*, em 1992.

Com dois anos no poder e acusações de corrupção, Collor não conseguiu implementar boa parte dos compromissos que tinha com os interesses ligados ao capital financeiro.

Como muitos previam, o desastre aconteceu, e a corrupção, que, de fato, foi significativa, tornou-se a desculpa para tirá-lo do poder. O problema é que, ao aplicar, "ao pé da letra" os mandamentos do Consenso de Washington, a crise econômica explodiu. Seguem os dados da variação do PIB naqueles anos:

1990	1991	1992
-4,3%	1,0%	-0,5%

Itamar Franco

O vice de Collor, Itamar Franco (1930-2011), assumiu e fez um governo elogiado, apesar das reduzidas condições de exercício de poder que a conjuntura oferecia. Dois pontos devem ser destacados no seu governo:

- Em primeiro lugar, Itamar tinha mais convicções da importância da soberania e da autonomia nacional e entendia que o protagonismo do Estado na economia não devia ser totalmente desprezado. Além disso, entendia que eventuais reformas precisavam de amadurecimento maior.

- Em segundo lugar, foi em seu governo que foi lançado o Plano Real[37], a política de reforma monetária que viria a estabilizar os preços e controlar o processo de hiperinflação vivenciado desde meados da década de 1980.

A economia voltou a crescer com Itamar Franco:

1993	1994
4,9%	5,8%

Quando Itamar Franco iniciou seu governo, em 29 de dezembro de 1992, a inflação era de 1.200% ao ano. Saiu em 31 de dezembro de 1994 com uma inflação de 22% ao ano.

3. Eleito, Fernando Henrique Cardoso assume em 1º de janeiro de 1995

Coube a Fernando Henrique Cardoso (FHC) a implementação de longo prazo do Plano Real.

---

[37] Embora o presidente Itamar Franco, em entrevistas anos depois, desse crédito maior às participações de Rubens Ricupero (1937) e Ciro Gomes (1957) na viabilização do Plano Real, couberam a Fernando Henrique Cardoso os ganhos políticos dessa conquista. Como os dois citados, FHC também havia sido ministro da Fazenda de Itamar por 10 meses, de maio de 1993 a março de 1994.

Apesar de ter estabilizado os preços e livrado a população, principalmente a mais pobre, do infortúnio da inflação galopante, o Plano Real redundou em sérios desequilíbrios na balança comercial com a paridade do real com o dólar, que tornou muito mais baratas as importações, especialmente de produtos industrializados.

Com isso, o Brasil foi inundado por produtos produzidos em outros países, sem nenhuma contrapartida fiscal, ou qualquer espécie de apoio do governo aos produtos brasileiros. O Plano Real conteve o processo inflacionário, mas destruiu boa parte do parque industrial brasileiro, gerando fortes ondas de desemprego.

O dinheiro para equilibrar as contas nacionais veio de empréstimos do FMI[38] e de um grande processo de privatização de empresas estatais.

As privatizações dos anos 1990 são um fato fundante para compreendermos a nossa época. Em primeiro lugar, deve-se refletir se não teria sido melhor ter o cuidado realizá-las ouvindo mais a sociedade e dentro de um planejamento de desenvolvimento sustentável.

Parece que foram feitas mais para atender às pressões de grandes grupos econômicos interessados em ficar com as boas empresas públicas brasileiras. É certo também que existiram pressões de credores externos no sentido de o governo "fazer caixa" para pagar juros da dívida externa.

Assim sendo, o problema se resolveu da pior forma: o dinheiro das privatizações serviu para financiar os compromissos do Plano Real, ao mesmo tempo que se mentia para o povo, argumentando que as divisas oriundas das privatizações se destinavam a tornar mais baratas as tarifas e a investimentos em educação, segurança e saúde.

O pior de tudo foi que empresas públicas estratégicas, de comprovada qualidade, que poderiam ser pilares de um programa de retomada do crescimento, foram vendidas por preços irrisórios e com poucas contrapartidas à sociedade. Por outro lado, empresas que não deveriam mesmo compor o patrimônio estatal foram acertadamente privatizadas.

---

[38] O país voltou a tomar empréstimos internacionais em 1991, com a solução da crise da dívida por meio do processo de securitização.

O governo de Fernando Henrique Cardoso (1995-2002) contou com dois planos de desenvolvimento: o "Brasil em Ação", do primeiro mandato, e o "Avança Brasil" do segundo mandato. Tais planos, contudo, não conseguiram impedir a crise energética que se apoderou do país no final do segundo mandato.

Como já observamos, a prioridade do governo FHC foi a estabilização econômica, o que foi feito às custas da desestatização desordenada da economia, com duros golpes contra a oferta de emprego e a renda dos trabalhadores.

Assim sendo, os dois planos de desenvolvimento dos mandatos de FHC se mostraram anacrônicos e desconexos com os propósitos inicias de seu governo.

Descontente com o governo, a população ocupou as ruas de Brasília em agosto de 1999, no que ficou conhecido como "a marcha dos 100 mil", na qual se gritava *"Fora FHC"*.

Desgastado pela falta de conteúdo social de seu governo, pelo desemprego, pelo baixo crescimento e pela falta de um plano estratégico para o desenvolvimento do país, Fernando Henrique Cardoso, do PSDB, não fez seu sucessor. Deu lugar a Luiz Inácio Lula da Silva, do PT, que, eleito, assumiu em 1º de janeiro de 2003.

Como temos feito ao longo deste livro, apresentamos aqui a variação do PIB nos oito anos dos dois mandatos de Fernando Henrique Cardoso:

1995	1996	1997	1998	1999	2000	2001	2002
4,2%	2,2%	3,4%	0,3%	0,5%	4,4%	1,4%	3,0%

4. Lula é eleito presidente em 2003. Reeleito, fica até 2010

Luiz Inácio Lula da Silva (1945-) promoveu um governo de conciliação com um modelo de crescimento e política social. O Programa Bolsa Família para os mais pobres e a ampliação do mercado de crédito ajudaram a aquecer a economia, promovendo alguns interesses industriais.

Tal feito, financiado em boa parte pelo aumento da exportação de *commodities*, cujos preços atingiram patamares elevados, também estimulou o setor imobiliário, e, no geral, o Brasil passou a registrar índices de crescimento econômico respeitáveis de, em média, 4% ao ano. Com essa situação favorável, o presidente Lula decidiu retomar grandes projetos nacionais.

4.1 PAC: surge um plano de desenvolvimento nacional depois de 28 anos

Em 2007, em seu segundo governo, Lula lança o PAC – Programa de Aceleração do Crescimento. À época, foi alentador, já que foi o primeiro plano de desenvolvimento estratégico do país, significativo, depois de mais de um quarto de século, e voltado, principalmente, para obras de infraestrutura.

Lula retomou, de forma limitada, as bases da política desenvolvimentista, que estavam esquecidas desde o primeiro quinquênio da década de 1980. Ainda que não tenha sido uma política industrialista de substituição de importações e tenha tido proporções mais modestas do que aquelas realizadas entre 1930 e 1980, Lula obteve taxas de crescimento consideráveis, promoveu o capitalismo nacional e gerou empregos.

Foi a base do seu plano de ação para o segundo mandato que conseguiu investir, em um prazo de quatro anos, 619 bilhões de reais na economia, com prioridade para a infraestrutura.

Muito importante para o sucesso desse modelo de desenvolvimento foi a indústria da construção civil, protagonizada por grandes empresas privadas, que contaram também com financiamentos de um bom número de projetos pelo Banco Nacional de Desenvolvimento Econômico e Social (BNDES).

Vale registrar que, a exemplo do que acontece nos países mais industrializados, essas empresas diversificaram suas atividades com a incorporação de mais tecnologia e ajudaram a implementar a exportação de capitais[39] nacionais, com a construção de grandes obras em diversos países.

---

[39] A "exportação de capitais" só pode acontecer em um contexto de capitalismo avançado, no qual não apenas são exportadas mercadorias comuns, mas grandes sistemas de engenharia, principalmente no campo da infraestrutura. No caso do Brasil, as principais regiões que importaram o capital brasileiro foram a América do Sul e a África. Nessas regiões, foram construídos estradas e portos, principalmente por empresas brasileiras como a Odebrecht e a Camargo Corrêa.

No que toca à política externa, o Brasil diversificou bastante suas parcerias econômicas com outras nações, fazendo uma política de modelo *Sul-Sul*[40] e ganhando grande prestígio internacional.

Por outro lado, nos primeiros anos da década de 2010, esse modelo começava a dar sinais de desgaste por causa da inflação de demanda[41].

O modelo de crescimento do governo Lula, a nosso ver, padecia do problema de se basear, em boa parte, no consumo. Apesar de estimular o desenvolvimento, não conseguiu dar solução para o crônico problema da financeirização da economia, implementada desde meados da década de 1980, e da grande dependência da exportação de *commodities*, que são bens primários com pouco ou nenhum valor agregado, sempre estão sujeitos a uma grande variação de preços no mercado internacional.

Cabe lembrar que, embora naquele momento tivesse força política, o governo não deu andamento a importantes reformas de Estado, como as reformas tributária, política e administrativa.

4.2 O Pré-Sal

A descoberta do **Pré-Sal** pela Petrobras foi um momento de grande euforia no governo Lula. Abriu-se uma grande possibilidade para o futuro da nação. Descoberto, tornou-se viável também graças à Petrobras, que desenvolveu, com o apoio de universidades públicas brasileiras, a tecnologia que o mundo não conhecia. Viabilizou economicamente a obtenção do petróleo em grandes profundidades do mar, as chamadas "águas ultraprofundas", que chegam a até 7 mil metros. Graças a isso, o Brasil está entre os países com maiores reservas de petróleo do planeta.

---

[40] A política externa de modelo "Sul-Sul" é uma forma de articulação política que prioriza a cooperação econômica, científica e cultural entre países do Sul geopolítico, ou seja, países em processo de desenvolvimento. Tal forma de articulação começou a ser praticada a partir do segundo pós-guerra, impulsionada pela descolonização da África e da Ásia.

[41] A inflação de demanda ocorre em momentos de desenvolvimento econômico, quando a grande demanda por mercadorias supera a oferta de produtos que se conseguem produzir. Essa escassez de produtos faz o preço das mercadorias subir, por causa da lei da oferta e da procura. Quando esse aumento de preço acontece com "mercadorias não substituíveis", como alimentos, materiais de construção e combustíveis, toda a economia é desestabilizada em um efeito em cadeia, provocando a crise inflacionária.

Além disso, a Petrobras já está colocando o país como um dos maiores produtores mundiais, com cerca de 3,5 milhões de barris de petróleo por dia.

UMA OBSERVAÇÃO SOBRE O PREÇO DA GASOLINA, DIESEL E GÁS EM 2021

A dolarização dos preços tem ajudado a pressionar a inflação. Infelizmente, o atual açodamento em privatizar está negligenciando a modernização e a ampliação das refinarias, fundamentais para garantir o abastecimento de gasolina, diesel e outros produtos a preços suportáveis pelo consumidor brasileiro. Por isso, hoje o país exporta petróleo e compra de outros países parte da gasolina e diesel que consome. O absurdo maior é que a exportação de petróleo bruto não é taxada. Se fosse, haveria espaço também para cortar outros impostos e o preço do combustível no Brasil seria bem mais acessível.

O crescimento do PIB nos dois governos Lula foi bem mais robusto que nos de FHC, mas menor do que a média do longo período chamado desenvolvimentista, iniciado com Getúlio Vargas na década de 1930 e encerrado por volta de 1985. Seguem os números:

2003	2004	2005	2006	2007	2008	2009	2010
1,1%	5,8%	3,2%	4,0%	6,0%	5,0%	-0,1%	7,5%

5. Dilma Rousseff é eleita, reeleita e cai

Dilma, a primeira mulher a tornar-se presidente do Brasil, assume em 1º de janeiro de 2011.

5.1 O PAC 2 – Programa de Aceleração do Crescimento

Quando Dilma Rousseff assumiu, em 2011, lançou o PAC2, com investimentos previstos de 1,066 trilhão de reais na economia, ao longo do seu mandato. Fora a implantação de infraestrutura, as duas edições do PAC investiram em áreas sociais prioritárias, como a habitação e o saneamento.

Em sua dimensão viária, o PAC se comunicava com o projeto internacional da IIRSA (Iniciativa para a Integração Física da América do Sul), uma vez que havia projetos de estradas de natureza internacional, que tinham o objetivo de escoar os grãos brasileiros para os portos do Pacífico.

Para isso, necessitavam do apoio de países como a Argentina, Paraguai, Bolívia, Peru e Chile para terem continuidade territorial. Tais preocupações, por exemplo, não tiveram os projetistas da "Transamazônica", obra que atravessava o Brasil de leste para oeste com o objetivo de acessar os portos do Pacífico, mas que fracassou por motivos que incluíam a falta de condições do governo peruano de continuar a obra em seu território, além do pesado impacto ambiental na floresta Amazônica.

5.2 As manifestações de junho de 2013

De início, as passeatas começaram por causa do aumento da tarifa de ônibus na cidade de São Paulo e tinham caráter reivindicatório. Porém, em menos de uma semana, o movimento ganhou traços agressivos e passou a ser capitaneado por setores claramente interessados em colocar fim ao governo do PT, incluindo grupos que pediam a volta da Ditadura.

As manifestações terminavam, muitas vezes, em "quebra-quebras", protagonizados por ditos *black blocs*", e contavam com farta divulgação na grande imprensa, nas redes sociais, além de repressão policial.

Ajudavam a criar o clima de hostilidade o aumento do preço de produtos e serviços públicos essenciais e uma insatisfação genérica com a qualidade dos serviços públicos. O movimento durou meses e envolveu muita gente. De início aparentemente espontâneo, esse movimento contava com lideranças e motivações difusas, além de organização precária.

Os ciclos de passeatas de 2013 tiveram consequência fundamental no curso dos acontecimentos, uma vez que deram início às campanhas de rua que levaram ao desgaste o governo de Dilma Rousseff e, em menos de cinco anos, levaria grande enfraquecimento aos partidos políticos que tiveram protagonismo na primeira década do século XXI.

As manifestações passaram a ser constantes e continuaram a ser intensamente divulgadas pela grande mídia, além de cada vez mais estruturadas nas redes sociais. Apesar da ameaça de inflação, até 2014 a economia ainda apresentava bons índices de oferta de emprego. Foi a partir de 2015 que a situação se agravou e fragilizou o governo Dilma.

A ferocidade de setores da oposição ao segundo governo Dilma, iniciado em 2015, não considerou que sua destituição poderia causar uma grave crise política, com consequências desastrosas para a economia.

5.3 A Operação Lava Jato e suas consequências para a economia brasileira

No primeiro semestre de 2014, a Polícia Federal dava início à *Operação Lava Jato*, um conjunto de investigações coordenadas pelo Ministério Público Federal e operadas pela Polícia Federal com o objetivo de apurar casos de corrupção do governo e de empresas ligadas ao processo de desenvolvimento brasileiro.

A Operação não apenas debilitou ainda mais as condições de governo de Dilma Rousseff, como também minou as bases de seu plano de desenvolvimento econômico. Empresas privadas de grande porte, que tinham o nome envolvido com casos de corrupção, foram seriamente atingidas por não conseguirem obter créditos para obras contratadas, já em andamento, e, por problemas judiciais, entraram em concordata ou acabaram falindo.

Cometeu-se o erro de punir as empresas, e não apenas responsabilizar seus dirigentes. As consequências sociais e econômicas para o país foram enormes: milhões de postos de trabalho perdidos, obras públicas paralisadas – que terão altíssimos custos para serem retomadas –, assim como perda de divisas externas com o fim da significativa participação da engenharia brasileira na construção de grandes obras civis no mundo.

Por serem empresas com grande peso na economia do país, o modelo de crescimento acabou sendo abalado, levando ao aprofundamento da crise. O exemplo mais citado pela mídia foi o da construtora Odebrecht, que tinha importante participação na infraestrutura de transportes, na petroquímica, na agroindústria e na mineração, além do setor imobiliário.

Em 2016, Dilma Rousseff havia perdido as condições de governar. Naquele ano, ela foi alijada do poder por um processo de *impeachment*, sob a acusação de crimes de responsabilidade fiscal. Muito ainda vai ser discutido sobre o grau de justeza ou mesmo a conveniência política do processo, uma vez que as acusações se restringiam a crimes de responsabilidade administrativa pouco claros, não havendo contra Dilma acusações mais sérias, como corrupção ou outros crimes.

Medidas equivocadas na relação com o Congresso Nacional e na condução da economia, somadas a um clima político de total hostilidade, fragilizaram o governo Dilma.

A consequência, foi um baque forte na economia a partir do segundo mandato de Dilma Rousseff. A variação do PIB nesse tempo, ano a ano, foi:

2011	2012	2013	2014	2015
4,0%	2,0%	3,0%	0,5%	-3,5%

6. Temer do MDB, o vice, assume com sua "Ponte para o Futuro"

O *impeachment* abalou as estruturas do sistema político nacional. Gerou uma situação que levou a uma profunda crise de legitimidade das instituições democráticas do Estado brasileiro. Para muitos, Michel Temer (1940-), o vice de Dilma, passou a ser visto como um traidor, para outros, ele passou a ser uma esperança, ou, ainda, uma incógnita, já que era um político com um passado de intenso relacionamento com governos do PT.

Para legitimar-se com setores da atividade econômica, mais diretamente interessados na derrubada da presidente Dilma, Temer mudou radicalmente posições que parecia defender ao longo de sua extensa carreira política. Apresentou um plano de governo com reformas radicais na linha neoliberal fundamentalista[42], chamado Ponte para o Futuro.

Na verdade, o foco principal era um ajuste fiscal e uma crença de que o setor privado seria capaz de capitanear, quase por si só, o investimento e a construção da melhoria da infraestrutura do Brasil.

---

[42] Neoliberal fundamentalista: aquele que quer, a todo custo, implantar um Estado mínimo.

Michel Temer conseguiu aprovar no Congresso Nacional a Reforma Trabalhista[43], que enfraqueceu significativamente o movimento sindical, além da emenda à Constituição que impôs o chamado Teto de Gastos[44], uma grave contradição para uma nação com grande desigualdade social e que pretende chegar a um nível ao menos razoável de desenvolvimento. Sua gestão da política econômica fracassou, ele foi acusado de corrupção e, por fim, tornou-se um governante extremamente impopular.

Nos anos de seu governo, a variação do Produto Interno Bruto, o PIB, foi desastrosa:

2016	2017	2018
-3,3%	1,0%	1,1%

7. Bolsonaro, o vingador?

7.1 Uma eleição fora da rota

À medida que as denúncias de corrupção começaram também a ser feitas contra o PSDB e contra o próprio Aécio Neves (1960-), que na eleição presidencial anterior havia perdido por pouco de Dilma, boa parte dos eleitores do PSDB começou a se alinhar com Jair Messias Bolsonaro (1955-).

Com as forças políticas tradicionais sob forte desgaste, Bolsonaro se elege presidente da República em outubro de 2018, com promessas difusas, sem nenhuma proposta mais clara do que queria fazer no

---

[43] Com o pretexto de modernizar as relações de trabalho no Brasil, o governo Temer promoveu um verdadeiro desmonte na Consolidação das Leis Trabalhistas (CLT), universalizando práticas como a terceirização sem as devidas contrapartidas para os trabalhadores. Diferentemente da previsão feita pelo governo Temer, a economia não se dinamizou com as reformas.

[44] Instituída por Temer, a Emenda Constitucional 95/2016 congelou por 20 anos todos os gastos públicos da União, *exceto aquelas despesas referentes ao serviço da dívida pública*. Trata-se de uma política de caráter destrutivo, primeiro porque ela não permite maiores investimentos em política social, mesmo em setores vitais como a educação, a saúde e a segurança. Em segundo lugar, a emenda castra a capacidade que o Estado tem de intervir na economia e conduzir projetos estratégicos. Por fim, cabe argumentar que esta é uma emenda que promoverá instabilidade política e social, uma vez que limita a possibilidade de o Estado coordenar uma recuperação econômica, agravando ainda mais as desigualdades sociais no Brasil.

cargo de presidente, inclusive não participando de nenhum debate eleitoral.

O processo eleitoral foi marcado pela facada que o candidato teria sofrido e que logo lhe rendeu a dianteira nas pesquisas de opinião de votos. Outro fato foi o desencanto com a política, que levou a um voto que pode ser resumido assim: *"o voto contra tudo o que está aí"*.

Bolsonaro encarnou essa demanda do eleitor, adaptou-se a esse sentimento e tornou-se uma espécie de vingador contra um difuso *"eles"*, ou seja, interpretou a raiva e a frustração que muitos sentiam.

Na eleição de 2018, registrou-se também um número significativamente maior de votos brancos e nulos e também de abstenções em comparação com eleições anteriores.

7.2 Onde vamos parar?

Além de uma atitude que só agravou as consequências da pandemia de COVID-19, a maneira como as políticas econômica e social tiveram curso no governo Bolsonaro parece conduzir a nossa sociedade a um processo sombrio.

Tendências perigosas, como o contínuo aumento das já enormes desigualdades, da fragmentação e da pauperização, são visíveis. São gravemente elevados os índices de informalização do trabalho, de falência e encerramento de atividades, especialmente de pequenas e médias empresas.

Faltam investimentos em todas as áreas. A continuada tentativa de impor o chamado Estado mínimo, desmoralizando os serviços públicos com os chamados "cortes de gastos" tem levado a consequências perigosas, como a ocupação do poder pelo crime organizado, seja nas instituições públicas, seja em importantes atividades econômicas.

A seguir apresentamos a variação do PIB no governo Bolsonaro:

2019	2020	2021	2022
1,1%	-4,1%	4,4%	1,7% (previsão do FMI)

Algumas palavras neste final da Terceira Parte

Ao encerrar a Terceira Parte deste nosso trabalho, continua a indagação: o que aconteceu ao Brasil para mudar tanto e sair da rota do vigoroso crescimento econômico que nos acompanhou por décadas e décadas? De país que mais crescia no mundo, já se vão mais de 30 anos com crescimento pífio e recessões, atolado em sucessivas crises econômicas e sociais que parecem não ter fim.

Na Quarta Parte deste livro, a seguir, vamos ver onde entra a influência da **Geopolítica** nas crises que o Brasil e seu povo têm vivido.

Quarta Parte

A geopolítica e o fundamental trabalho de relações exteriores

Até agora, passamos em revista os grandes pontos da formação social e econômica do Brasil, objetivando fazer um bom juízo das nossas heranças, no sentido de entendermos não apenas os nossos problemas estruturais, mas também as nossas potencialidades enquanto nação realizadora.

A implementação do planejamento na economia e *planos nacionais de desenvolvimento* por sucessivos governos trouxeram ao país um vertiginoso crescimento econômico, nem sempre acompanhado do necessário desenvolvimento social. É bom lembrar mais uma vez que, durante décadas, o Brasil foi a nação que mais cresceu no mundo. Não custa recordar que no início da década de 1980 a produção industrial brasileira era maior que a da China e da Coreia juntas. Ainda em 1990, o PIB brasileiro era maior que o PIB chinês.

Na realidade, o Brasil mudou, saiu da rota do vigoroso crescimento econômico que nos acompanhou por décadas e décadas. O jogo de interesses da geopolítica[45] influenciou fortemente para chegarmos ao "beco sem saída" em que *o país vive*.

---

[45] A geopolítica é uma das ciências que analisa as relações internacionais como uma esfera onde os Estados disputam a liderança mundial ou regional em termos de poder político ou militar, desenvolvimento econômico e criatividade cultural. Por este ponto de vista, cada país usa dos meios de que dispõe para aumentar sua própria força e inibir o crescimento de outras nações. Assim, países com grande potencial, como o Brasil e a Índia, sofrem diretamente com as tensões geradas por esse tipo de disputa.

Mas, vamos olhar para a frente, buscar as respostas e procurar a saída para essa grave crise política, econômica, social e institucional.

O objetivo dessa nossa Quarta Parte será fazer a análise dos problemas atuais, entendendo que o Brasil é uma grande nação e é *objeto de cobiça e de temor de outras nações*.

Nosso país só poderá alcançar um nível satisfatório de vida para seu imenso e criativo povo, e dar importantes contribuições ao mundo, se assumir seu destino de grande nação, de potência mundial.

Por isso, é necessário pensar o Brasil dentro da geopolítica mundial, que é o estudo das relações e dos interesses das várias nações e blocos de nações do planeta Terra. Nas próximas páginas, apresentaremos grandes questões nacionais e razões externas que dificultam ou ajudam a afirmar a soberania e a autonomia do Brasil, e como isso impacta, muitas vezes negativamente, o nosso desenvolvimento econômico, social e cultural.

O leitor vai encontrar daqui para frente basicamente, duas linhas de análises e de propostas de ação, que são essenciais para a construção da prosperidade nacional, tão possível neste vasto país de grande riqueza natural e humana:

Geopolítica e política externa brasileira

Vale lembrar que a geopolítica nos serve não somente como uma macro-orientação para a condução da política externa. Serve também de orientação para a política territorial e de desenvolvimento (quarta parte do livro).

Os grandes pontos de edificação da nação brasileira

Faremos na quinta parte do livro uma avaliação da indústria, da agricultura, das Forças Armadas e do projeto educacional necessários para ancorar, com segurança, a retomada do desenvolvimento brasileiro sustentável, dentro de um necessário e urgente novo *pacto social*[46].

---

[46] O pacto social é uma situação histórica específica que ocorre quando diferentes grupos de uma sociedade trabalham juntos para a execução de um objetivo comum. Isso pode ocorrer formalmente ou informalmente, com a indução do poder público. Para ser duradouro, é necessário que um pacto social seja igualitário, ou seja, que os bens econômicos e culturais produzidos pela sociedade sejam compartilhados com justeza pelos diferentes grupos dessa sociedade. Se o pacto social não consegue produzir justiça distributiva, a sua degradação será inevitável e o seu tempo de vida será curto.

Antes de mais nada, é preciso deter a crescente degradação das instituições que sustentam o Estado democrático no Brasil, recompor o tecido social[47] e retomar a política de crescimento com vistas à construção de um *Brasil Unido e Forte, Soberano e Democrático*.

1. Geopolítica, o que é? Para que serve?

A geopolítica é um método de interpretação da política internacional a partir da configuração geográfica dos países. O princípio fundamental da geopolítica é que o território constitui uma espécie de compilador dos meios que o país tem para decidir e fazer sua ação política, uma vez que é nele que acontece a produção econômica, é nele que a sociedade se reproduz e é nele que a nação desenvolve o seu poder militar.

O idealizador da geopolítica, Friedrich Ratzel (1844-1904), pensou que os dois conceitos-chaves da geopolítica seriam os conceitos de *espaço* (no alemão, *Raum*) e *posição* (*Lage*).

Espaço pode ser entendido como a extensão física do território, enquanto a *posição* se refere à situação de um território em relação a outros países, sua situação frente a mares e acidentes naturais. Uma revisão dos grandes fatos da história geral vai demonstrar que as maiores guerras aconteceram, geralmente, por uma questão de espaço e de posição.

Isso acontece porque as oportunidades estratégicas e as fontes de recursos naturais estão distribuídas de maneira desigual pela superfície do globo, além do desejo de algumas nações de ampliar seus territórios e sua riqueza. Em geral, vão atrás de recursos naturais e de posições estratégicas mais importantes, o que acaba resultando em maior influência no mundo. Por isso, ganhos territoriais acabam também resultando em maior ação política e cultural sobre nações subjugadas.

---

[47] O termo "tecido social" é corrente no meio jornalístico e mesmo na literatura especializada. Diz respeito à estabilidade e decência das relações que as pessoas têm entre si, dentro dos diferentes grupos sociais. Assim, entidades importantes, como instituições públicas, família, empresa, escola, igreja, associações, sindicatos, são elos importantes do tecido social, porque têm um papel formativo e é dentro delas que acontecem as relações sociais. Valores como a solidariedade, a fidelidade, a lealdade formam um tecido social estável; valores como o egoísmo e o culto ao sucesso a todo custo afastam as pessoas e corrompem as relações sociais, até comprometendo as próprias instituições.

As nações que têm pretensões de expansão territorial descabidas são chamadas de *Impérios*, e são um fenômeno geopolítico mais ou menos frequente na história. Como exemplos próximos, temos a Inglaterra até a década de 1940 e, principalmente, após os anos 1950, os Estados Unidos e a União Soviética, com grande crescimento econômico e progresso tecnológico que os tornaram nações imperiais, com pretensões de alcance planetário. Nos dias de hoje, vemos a China despontando rapidamente no mundo.

2. Potências marítimas e potências terrestres: os grandes atores do xadrez geopolítico mundial

A desproporção entre as extensões de superfície líquida e superfícies sólidas do globo é a primeira das assimetrias que temos que notar, se quisermos falar de geopolítica. Essa é, quase sempre, a primeira lição de geografia que temos na escola, e é a mais importante. Menos de 30% da superfície terrestre é continental, sendo que os oceanos e mares tomam quase 70% da superfície do planeta.

A maior parte das superfícies continentais se localizam no hemisfério norte da Terra. A Eurásia (Europa e Ásia), que, com os seus 54.760.000 km², é a maior extensão contínua de terras emersas do planeta, com a maior prodigalidade de recursos naturais, que vão do petróleo do Oriente Médio aos solos férteis da Ucrânia. Nas bordas da Eurásia estão situadas as maiores densidades demográficas do globo e três dos quatro principais polos de produção industrial e criatividade científica do mundo (Europa, Rússia e Ásia).

A América do Norte, com os seus 24.710.000 km², também é uma entidade geopolítica de significação. Embora com uma população bem menor, abriga a principal potência econômica, tecnológica e militar do planeta nos dias de hoje, que são os EUA.

Separados pela imensidão do Oceano Pacífico, do Oceano Glacial Ártico e do Oceano Atlântico, a Eurásia e a América do Norte compõem dois complexos geopolíticos que se relacionam, em uma dinâmica de interesses que pode ter desdobramentos violentos.

Nas extensões oceânicas que separam as duas massas continentais estão situadas duas ilhas que se desenvolveram como potências marítimas: o Reino Unido e o Japão. Quando usamos o termo "potência marítima", nos referimos a um conceito importante da geopolítica, cujo primeiro desenvolvedor foi o almirante estadunidense Alfred T. Mahan (1840-1914), e que se refere àqueles países que, dada a sua condição geográfica, só conseguem projetar poder pelo domínio dos mares.

Japão e Reino Unido são exemplos históricos de potências marítimas, mas hoje a mais poderosa nação marítima do mundo são os EUA. Os EUA, com sua Marinha de Guerra e suas bases militares no estrangeiro, conseguem controlar quase todos os fluxos comerciais que dependem das comunicações oceânicas[48].

Em contraponto às "potências marítimas" existem as "potências terrestres", que são aqueles países que, pela sua posição de isolamento continental, são obrigados a dominar grandes extensões de território continental.

Hoje, a principal potência terrestre é a Rússia, não apenas pelos seus grandes arsenais militares, mas também pela sua extensão territorial e posição geográfica, que lhe concedem acesso militar a regiões de grande significação estratégica, como a Europa, o Oriente Médio, o subcontinente indiano, onde o Himalaia aparece como obstáculo à China e ao Mar do Japão.

Foi o geógrafo britânico Halford Mackinder (1861-1947) o primeiro a entender que o excepcionalismo da configuração geográfica russa dava a esse país um papel fundamental no desenvolvimento da história mundial. Mackinder também entendeu que as relações entre potências marítimas e potências terrestres serviam de força motora para o desenvolvimento da história mundial.

Durante três séculos de história, a Rússia se expandiu pelo leste europeu, chegando até os confins da Ásia, assenhorando-se dos recursos

---

[48] MELLO, Leonel Itaussu. *Quem tem medo da geopolítica?* São Paulo: Hucitec, 2015.

naturais da planície euroasiática[49]. Tais conquistas foram reforçadas, na transição do século XIX para o XX, com a construção da ferrovia que liga Moscou a Vladivostok, que melhorou os acessos ao Mar do Japão e foi seguida por um plano de colonização e ocupação territorial[50].

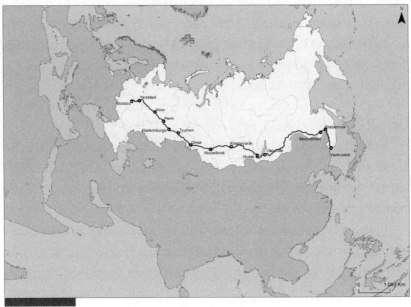

O PROJETO GEOPOLÍTICO DA TRANSIBERIANA PARA O APERFEIÇOAMENTO TERRITORIAL DA RÚSSIA
A ferrovia Transiberiana constituiu um importante empreendimento geopolítico da Rússia. Com ele, Moscou conseguiu estabelecer comunicações com os portos no Mar do Japão e, mais do que isso, conseguiu levar à frente um importante programa de interiorização com o objetivo de aproveitar os recursos de seu vasto território e facilitar a defesa de seu flanco sul.

Fonte: Cartógrafo Tito Lívio Barcellos Pereira

A dinâmica geopolítica euroasiática se resume ao choque de interesses entre as potências marítimas (Reino Unido, Japão e EUA depois de 1945) e as potências terrestres (Rússia) pelo domínio da Eurásia.

---

[49] A planície euroasiática é a maior extensão de terras baixas do mundo. Como o próprio nome anuncia, a planície vai do Leste Europeu até o interior da Ásia e comporta boa parte da Sibéria. Dado o seu clima frio, a planície foi pouco ocupada e guarda importantes reservas de recursos naturais.
[50] BRZEZINSKI, Zbigniew. *EUA x URSS: o grande desafio*. Rio de Janeiro: Nórdica, s.d.

As potências marítimas procuram estabelecer suas bases militares e sua influência política e econômica nas extremidades da Eurásia para impedir que a Rússia conclua o seu ciclo expansionista, tornando toda a Eurásia um grande poder político.

Por sua vez, a Rússia pressiona com suas forças militares as extremidades da Eurásia, buscando anexar territórios, influenciar a Europa, o Oriente Médio e os confins da Ásia, buscando ter acesso a mares navegáveis. Com efeito, falta ao território russo bons portos, que estejam seguros da influência militar dos vizinhos hostis[51].

Tal formulação, elaborada por Mackinder em 1904, foi revista por Leonel Itaussu Almeida Mello (1945-2013) na transição do século XX para o século XXI. Na ocasião, ele assim escreveu:

> Essa teoria tinha como ideia-chave a existência de uma rivalidade secular entre dois grandes poderes antagônicos que se confrontavam pela conquista da supremacia mundial: o poder terrestre e o poder marítimo. O primeiro, sediava-se no coração da Eurásia e, mediante uma pressão centrífuga, procurava apoderar-se das regiões periféricas do velho mundo e obter saídas para mares abertos. O segundo, situado nas ilhas adjacentes ou nas regiões marginais eurasianas, controlava a linha circunferencial costeira do grande continente e, mediante uma pressão centrípeta, procurava manter o poder terrestre encurralado no interior da Eurásia[52].

Assim, as grandes potências, todas situadas no hemisfério norte, formulam suas diretrizes estratégicas tendo por base a grande disputa pela Eurásia. Em nome desse imperativo estratégico, desenvolvem suas doutrinas militares, suas tecnologias e seus engenhos de guerra.

---

[51] Segundo Colin Gray (1985), o complexo portuário russo é dividido em quatro setores: o complexo do Mar Negro, o complexo do Mar Báltico, a península de Kola, no Oceano Glacial Ártico, e o complexo portuário de Vladivostok, no Oceano Pacífico. Além de serem completamente isolados uns dos outros, atuam confinados em mares fechados, sendo o livre acesso aos oceanos contidos por calotas de gelo, e porções continentais, onde se assentam territórios hostis. GRAY, Colin. A geopolítica da era nuclear. *Política e Estratégia*, v. 3, n. 4, p. 545-599, 1985.

[52] MELLO, Leonel Itaussu. *Quem tem medo da geopolítica?* São Paulo: Hucitec, 2015.

3. O Brasil como potência anfíbia[53] e a ideia de um Mundo Meridional

Tem-se então descrita a estrutura geopolítica dos países do Norte: um *mundo eurasiano* que, versado no poder terrestre e dominado pelas tendências econômicas autárquicas, se choca violentamente contra o *mundo atlântico*, liberal, e cujo fulcro de força é o poder marítimo. Faltou falar do mundo do Sul, aquele que nós conhecemos como *Mundo Meridional*.

3.1 O Brasil no xadrez geopolítico mundial

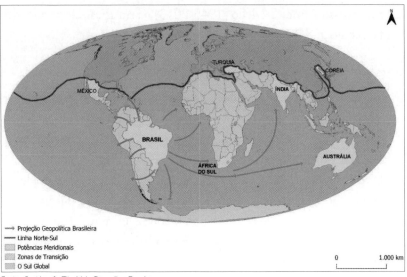

Fonte: Cartógrafo Tito Lívio Barcellos Pereira

O Mundo Meridional possui uma estrutura anfíbia, ou seja, continentes cercados por grandes extensões oceânicas. Aqui, as formações continentais se apresentam como "grandes penínsulas": a América Latina, a África, a Antártida e a Índia.

Talvez o país mais exótico do mundo meridional seja a Índia. Isso porque o país obedece a duas ordens de dualismos geopolíticos que

---

[53] Uma potência anfíbia é aquela que, dada a sua configuração geográfica, dispõe tanto da projeção marítima como da projeção continental. França e China seriam exemplos de potências anfíbias.

convém mencionarmos aqui. O primeiro desses dualismos diz respeito à estrutura geopolítica indiana, que, ao mesmo tempo que é um país peninsular, com projeção para o Oceano Índico, também é um país euroasiático e sofre as influências do equilíbrio estratégico euroasiático. Contudo, a força que predomina é o meridionalismo, dada a salvaguarda, ainda que sumária, que o Himalaia proporciona frente às forças militares das potências euroasiáticas.

Fora isso, os grandes problemas sociais da Índia a tornaram um Estado líder do não alinhamento. Por isso, o país procurou uma aliança com o Brasil e a África do Sul para a constituição do **IBAS** (sigla para Índia, Brasil e África do Sul).

O segundo dualismo geopolítico diz respeito ao alinhamento da Índia na política internacional. Parceira estratégica de longa data da Rússia, é inimiga da China, o que faz a Índia procurar, vez ou outra, apoio nos EUA.

A geopolítica clássica[54] se concentrou na dinâmica do equilíbrio estratégico euroasiático, pouco se dedicando às três penínsulas do Mundo Meridional, quase sempre relegadas à periferia do sistema ou ao papel de espólio da disputa imperial. Essa é uma negligência intelectual que nos traz graves problemas: numa dessas três penínsulas está o Brasil.

3.2 A guerra fria (1947 a 1991)

A guerra fria foi um conflito político-ideológico travado entre Estados Unidos (EUA) e União Soviética (URSS)[55], entre 1947 e 1991. O conflito entre esses dois países foi responsável por polarizar o mundo em dois

---

[54] Formulada por autores já citados como Ratzel, Mahan e Mackinder e outros igualmente importantes, como Nicholas Spykman (1893-1943), Zbigniew Brzezinski (1928-2017) e Colin Gray (1943-2020).

[55] A União das Repúblicas Socialistas Soviéticas (URSS) foi a iniciativa mais séria de implantação do socialismo enquanto projeto político de um Estado. Fundada pelos bolcheviques russos com a Revolução de 1917, a URSS expandiu seus domínios com a Segunda Guerra Mundial, em que pese o elevadíssimo número de mortos, que resultou na necessidade de combater a Alemanha nazista. De estrutura federativa, a URSS era formada por Rússia, Bielorrússia, Geórgia, Armênia, Azerbaijão, Ucrânia, Uzbequistão, Turquemenistão, Letônia, Lituânia, Estônia, Cazaquistão, Quirguistão, Tajiquistão.

grandes blocos, um alinhado ao liberalismo econômico e outro, alinhado ao comunismo. Ainda que nunca tenha se degradado em um conflito convencional travado entre EUA e URSS – o que levaria, seguramente, a uma terceira guerra mundial, com o possível uso de armas atômicas – a guerra fria foi o elemento estruturador da sociedade internacional por mais de 40 anos do segundo pós-guerra.

A Segunda Guerra Mundial terminou em 1945. O nazismo foi derrotado por uma ampla aliança, da qual fizeram parte os Estados Unidos e a União Soviética — esta foi quem mais participou e sofreu com a guerra. A URSS perdeu cerca de 27 milhões[56] de vidas, um número 65 vezes maior que as baixas dos EUA, que perderam em torno de 400 mil.

Já em 1947 iniciou-se uma disputa pela hegemonia mundial, carregada de ideologia, entre as duas grandes potências militares e tecnológicas: os Estados Unidos e a União Soviética. Essa disputa teve como resultado outras guerras mais localizadas, como a Guerra da Coreia (1950-1953) e do Vietnã (1955-1975), além de ações de desestabilização de governos em várias partes do mundo, particularmente na América Latina, onde o Brasil também foi envolvido. A guerra fria só acabou de vez em 1991, com o desmantelamento da União Soviética.

No início da década de 1950, Golbery do Couto e Silva[57], fazendo uso de uma projeção azimutal equidistante[58] de Soukup, situou o Brasil no contexto das disputas interimperiais da guerra fria: o Brasil, por ser o país mais poderoso do Atlântico Sul, deveria assegurar a defesa da *retaguarda do Ocidente*, tendo como teatro de operações o triângulo estratégico formado pela América do Sul, o continente africano e a Antártida. Golbery previa que a descolonização da África e da Ásia – ocorrida entre o final da década de 1940 e a década de 1970 – levaria à intrusão da influência soviética na África, com repercussões inevitáveis no Atlântico Sul.

---

[56] GADDIS, John Lewis. *História da guerra fria*. Rio de Janeiro: Nova Fronteira, 2006, p. 8.

[57] SILVA, Golbery do Couto e. *Conjuntura política nacional: o poder executivo. Geopolítica do Brasil.* 3. ed. Rio de Janeiro: José Olympio, 1981.

[58] Projeções azimutais equidistantes são aquelas que permitem a mensuração de distâncias com precisão a partir do cálculo de escala.

A concepção de Golbery, que influenciou a elite dirigente brasileira nos anos do regime militar, iniciado em 1964, colocava o Brasil como aliado preferencial dos EUA, quase na condição de vassalo. Suas conclusões chamam para o Brasil uma importância que não condizia com a realidade dos fatos, mesmo para o contexto da segunda metade da década de 1960, quando a guerra fria vivia um período de tentativas de diminuição das tensões, que foi chamado de "Coexistência Pacífica"[59] pelo então líder soviético Nikita Kruschev (1894-1971).

Com o final da guerra fria, a geopolítica de Golbery, voltada para a divisão do mundo em hemisférios (ou seja, baseada em uma dicotomia leste x oeste) precisava ser substituída por uma cosmovisão que desse ao Brasil um lugar no mundo, condizente com as suas aspirações tradicionais e baseado no desenvolvimento econômico e social com projeção pacífica para o exterior. Que concepção seria essa?

Na busca da resposta para essa pergunta, André Roberto Martin[60] elaborou a "teoria dos três ecúmenos", uma tentativa bem-sucedida de explicar o mundo do pós-guerra fria, buscando entender suas contradições e o lugar do Sul geopolítico.

---

[59] Segundo José Flávio Sombra Saraiva, em seu *História das relações internacionais contemporâneas*, os anos mais instáveis da guerra fria foram os dos 1950, quando as duas superpotências poderiam, de fato, ter entrado em uma guerra nuclear. Na década de 1960 tem início o "período de coexistência pacífica", marcado pela relativa democratização do bloco soviético e pela exportação dos conflitos ideológicos para as extremidades do sistema político mundial. Entre o final da década de 1960 e o final da de 1970, tem-se o período de *"Détente"*, durante o qual as relações entre EUA e URSS chegaram a ser marcadas pela cooperação, motivada pelo crescimento da Alemanha e do Japão, que concorriam no cenário econômico tanto com os EUA quanto com a URSS, o que obrigava a redução de despesas militares nos dois blocos. A acomodação de interesses entre EUA e URSS levou ao crescimento relativo do bloco soviético, que expandiu sua influência com a vitória comunista na Guerra do Vietnã, com a independência da África portuguesa e com a revolução iraniana. Tal fato levou os EUA a retomarem a corrida armamentista que fundou, na transição da década de 1970 para a de 1980, o período conhecido como segunda guerra fria, o último da ordem bipolar. Nele, a URSS tentou retomar seus investimentos no setor de defesa, o que provocou uma sequência de disfunções que levaram o bloco comunista ao colapso.
SARAIVA, José Flávio Sombra. *História das relações internacionais contemporâneas – Da sociedade do século XIX à globalização*. São Paulo: Saraiva, 2008.

[60] MARTIN, André Roberto. *Geopolítica e poder mundial: o anti-Golbery*. São Paulo: Hucitec, 2018.

"*Ecúmeno*" é uma palavra grega que quer dizer "*mundo*". Assim, a leitura da teoria clássica da geopolítica nos mostra que existe no hemisfério Norte dois ecúmenos bem definidos:

- **O primeiro "ecúmeno"** seria o mundo eurasiano, limitado pela Eurásia e mares adjacentes, onde se observa a pressão constante da Rússia na busca por mares navegáveis.

- **O segundo "ecúmeno"** seria a comunidade atlântica de nações, formada pelos herdeiros do poder marítimo, cujo principal país é os EUA, mas que inclui outras potências, como o Reino Unido. O imperativo estratégico do mundo atlântico seria se fixar na Europa, obstruindo, com isso, a influência russa no Ocidente.

Grandes empreendimentos da política internacional, como a Organização do Tratado do Atlântico Norte (OTAN), liderado pelos EUA; o Pacto de Varsóvia, conduzido pela União Soviética; e, mais recentemente, a aliança de russos e chineses em torno da Organização para a Cooperação de Xangai (OCX), são organizações internacionais de caráter militar formadas devido ao atrito entre os mundos atlântico e eurasiano.

- Um **terceiro "ecúmeno"** seria o Sul geopolítico, também chamado de "Mundo Meridional". De vocação anfíbia e peninsular, o Mundo Meridional tem traços históricos que unem potencialmente tais nações: todos os seus países passaram pelo flagelo da colonização, apesar da incrível diversidade de culturas que o compõem. Apesar de sua modesta projeção estratégica, as três grandes penínsulas do Mundo Meridional flanqueiam as principais rotas marítimas que abastecem o centro do sistema capitalista. Sem expressão política nas grandes guerras mundiais, foi por muito tempo visto como espólio dos países desenvolvidos.

3.3. Brasil, Estado marítimo ou terrestre?

É no Mundo Meridional que o Brasil se insere e se projeta, não apenas pela sua extensão e posição, mas também pelo seu desenvolvimento e feitos de sua política externa. O Brasil é um país de vocação anfíbia, ou seja, ele possui tanto aspectos continentais como aspectos marítimos em sua formação territorial.

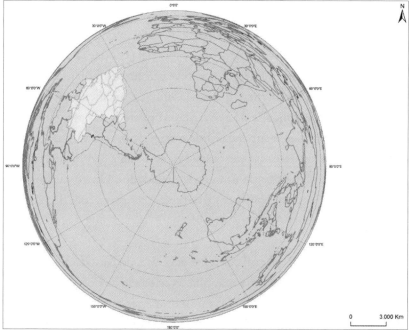

Fonte: Cartógrafo Tito Lívio Barcellos Pereira

Esse contraste pode parecer sutil, mas é de grande valor para aqueles preocupados com o desenvolvimento e a segurança do Brasil. Para sermos mais didáticos, vamos descrever esse contraste de forma tópica:

+ *A vocação marítima do Brasil.* O território brasileiro começou a ser construído a partir do litoral, e só na segunda metade do século XX o Brasil conseguiu interiorizar a sua capital. A maior parte das grandes cidades se situa a menos de 200 km da costa, e os grandes rios ainda são elementos de comunicação importantes. Mais determinante que isso é o fato de o Brasil ser um país exportador que depende das comunicações marítimas para manter íntegras as suas estruturas macroeconômicas. O litoral brasileiro se projeta para as linhas de comunicação marítima do Atlântico Sul, o que confere ao Nordeste brasileiro importância estratégica em escala global;

- *A vocação terrestre do Brasil.* O desafio brasileiro está na interiorização sustentável. Boa parte do crescimento econômico do período desenvolvimentista se deu pela ocupação de novos fundos territoriais, esforço que teve um custo ambiental abusivo. Ousamos afirmar que a viabilidade brasileira repousa hoje na possibilidade de a sociedade brasileira, com os cuidados ambientais, ocupar melhor o território, aproveitando as fronteiras agrícolas já desbravadas, com mais produtividade, para a implantação de uma rede de cidades. Outro fato importante é que o Brasil tem fronteiras terrestres com dez dos doze países da América do Sul.

Ao enquadrarmos o Brasil como o maior país do Mundo Meridional, abre-se aos nossos olhos uma magnífica variedade de possibilidades de inserção internacional em arranjos que não apenas garantam o desenvolvimento autônomo do nosso povo, mas que também contribuam para uma sociedade internacional mais equilibrada e justa.

4. Soberania e autonomia: dois conceitos para a compreensão do imperativo estratégico brasileiro

A geopolítica é útil na medida em que nos proporciona **um retrato do Brasil no mundo.** Falta ainda falar sobre dois conceitos que vão nos ajudar a compreender a natureza das relações internacionais, bem como os desafios brasileiros frente ao mundo em transformação. Esses são os conceitos de *soberania* e *autonomia.*

Os dois conceitos possuem entre si uma vinculação estreita, de maneira que um complementa o outro. *Soberania* é a condição que atesta que uma determinada sociedade é reconhecida pela comunidade internacional como um país independente. Em linhas gerais, ser soberano significa exercer autogoverno e controlar um território, controle esse que acontece sob diferentes pontos de vista: militar, econômico, demográfico e cultural.

Se um país é militarmente invadido por outro, tem a sua soberania violada; violação que também acontece se um país admite ingerências externas em sua própria legislação e em suas estruturas de governo.

O conceito de soberania surgiu com o final da Guerra dos Trinta Anos (1618-1648) e tornou-se o conceito organizador das relações internacionais a partir de então.

Já a *autonomia* reside nas possibilidades concretas que cada nação tem para se impor no cenário internacional e, com isso, desenvolver-se mais efetivamente. Alguns países são altamente capazes pela sua força e pela sua influência, outros são absolutamente fracos e têm pouquíssima influência no cenário internacional.

Se a *soberania* é uma condição elementar, oriunda do consenso existente dentro da sociedade internacional, a *autonomia* diz respeito às condições que um país tem de fazer política externa. Pensando em uma situação limite, a autonomia diz respeito também às condições que o país possui para defender a sua soberania em momentos de crise.

Reduzida aos seus elementos, a teoria da *autonomia* se sustenta sobre dois pilares, que podem ser simplificados de forma tópica:

+ *Primeiro fundamento*: existe uma diferença visível de poder entre nações. Tal poder tem expressões diferentes, como a capacidade militar, a capacidade econômica, a capacidade científica e o dinamismo da sociedade.

+ *Segundo fundamento*: a diferença de graus de autonomia entre os países que ocupam o centro do sistema capitalista e os países periféricos é imensa. Assim sendo, a assimetria de poder que existe entre "autônomos" e "não autônomos" é tamanha que é capaz de dividir o mundo entre países centrais (os autônomos) e países periféricos (os não autônomos)[61].

A autonomia tem duas dimensões, que são a "viabilidade nacional" e a "permissividade internacional"[62]. Cabe aqui apresentarmos definições sobre esses dois conceitos.

A "viabilidade nacional" é definida como *a melhor equação que pode ser estabelecida entre recursos humanos e recursos naturais*[63]. Disso deriva uma longa discussão, não só quantitativa como também qualitativa, entre a posse dos recursos e o seu aproveitamento.

Um território grande e bem posicionado, como é caso do território brasileiro, é sem dúvida alguma um grande recurso. Contudo, a partir do momento em que esse território é mal ocupado por uma malha urbana desorganizada e confusa, tais vantagens passam a ser relativizadas, ou até anuladas.

O mesmo pode ser dito a respeito da população: uma população numerosa é quase sempre um recurso inestimável, mas, se passa a ser consumida por problemas sociais crônicos, como o pauperismo, deixa de ser um recurso e passa ser um problema a ser resolvido. Tal raciocínio pode ser aplicado a outras capacidades da nação: a posse de recursos naturais, a capacidade militar, a capacidade econômica etc.

Naturalmente, a "viabilidade nacional" pode ser aperfeiçoada e, em alguns casos, até transformada pela política pública. O Brasil é um

---

[61] Hélio Jaguaribe propõe uma tipologia dos Estados do mundo feita em torno da diferença de autonomia. Para ele, o mundo seria dividido em: (I) *potências imperiais* – caracterizadas pela plena capacidade nuclear, território inexpugnável e acesso militar a todos os quadrantes do globo; (II) *potências regionais* – caracterizadas pela capacidade nuclear limitada, território inexpugnável e influência militar sobre o entorno estratégico; (III) *Estados autônomos* – caracterizados pela falta de capacidade nuclear, vulnerabilidades territoriais e uma capacidade dissuasiva mínima que permite alguma influência sobre o entorno estratégico; (IV) *Estados periféricos* – caracterizados pela total vulnerabilidade territorial e falta de capacidade dissuasiva, ou seja, totalmente desprovidos de autonomia. Em 1979, esse autor classificava o Brasil como um *Estado autônomo*.

[62] JAGUARIBE, Hélio. Autonomía periférica y hegemonía céntrica. *Estudios Internacionales*, v. 12, n. 46, pp. 91-130, 1979.

[63] JAGUARIBE, Hélio. Autonomía periférica y hegemonía céntrica. *Estudios Internacionales*, v. 12, n. 46, pp. 91-130, 1979.

exemplo de país que avançou muito, em um prazo inferior a 60 anos (1930-1985), na sua integração territorial e, principalmente, na sua capacidade industrial e tecnológica. Naqueles 55 anos, a nação brasileira foi a que mais cresceu no mundo, chegando a uma produção de riqueza maior que a da China e a da Coreia somadas.

Mesmo com as crises que relatamos em capítulos anteriores, até 1990 a economia do Brasil era maior que a da China e que a da Índia. A China e a Índia são exemplos de nações que, recentemente, promoveram transformações em suas sociedades a ponto de começarem o século XXI como países altamente viáveis. O PIB chinês caminha rapidamente para ser o maior do mundo.

A viabilidade nacional não é um conceito que deve ser entendido isoladamente: um país pode aperfeiçoar as suas condições e tornar-se uma potência, resultando, assim, num Estado não apenas viável, como também com condições de influenciar o seu entorno. Isso não significa que ele vá ser aceito, tanto por outros países como por organizações internacionais. Essa decisão, que depende da sociedade internacional de aceitar novas nações líderes, é o que pode ser chamado de *permissividade internacional*[64].

Vale a pena ilustrarmos esse conceito com exemplos.

A Grã-Bretanha foi potência hegemônica até a Segunda Guerra Mundial (1939-1945). A prática dessa hegemonia residia no controle dos mares, por meio de uma poderosa força naval espalhada por bases em todos os quadrantes do globo e pelo controle da economia mundial, facilitado pelo fato de ter conseguido tornar a libra a moeda internacional. Tal ordem estava bem estabelecida após a queda de Napoleão, em 1815, mas passou a padecer de sérias contradições nas últimas décadas do século XIX.

No ano de 1900, a Grã-Bretanha já não era a nação mais rica do mundo, uma vez que os EUA, desde a sua formação como nação independente, ampliaram em muito a sua viabilidade nacional, superando a Grã-Bretanha e tornando-se a nação mais rica do mundo naquele ano.

---

[64] JAGUARIBE, Hélio. Autonomía periférica y hegemonía céntrica. *Estudios Internacionales*, v. 12, n. 46, pp. 91-130, 1979.

Apesar dessa condição se estabelecer em 1900, os EUA só seriam considerados como nação hegemônica em 1945, depois que o mundo passou por duas guerras mundiais. Isso aconteceu porque a sociedade internacional de 1900, dada a sua estrutura e seu *modus operandi*, não aceitava os EUA como liderança, o que só veio a ocorrer depois das profundas transformações e reformas necessárias por causa da destruição causada pela Segunda Guerra.

A situação criada levou ao quase anulamento do poder britânico e ao impulso para criar novas instituições que aceitavam o poder de Washington.

Outro bom exemplo, ainda que de menores proporções, é o do Brasil na primeira década do século XXI. Com uma política razoavelmente bem-sucedida de fortalecimento do mercado interno, o país havia conseguido, depois de 20 anos, retomar, parcialmente, o seu grau de viabilidade. Chegou a prosperar em uma época em que a maioria das economias do capitalismo central padecia devido à crise econômica mundial de 2008.

O fato de ter se tornado, desde o final da década de 1970, uma das oito maiores economias do mundo levou lideranças brasileiras do período a acreditarem que o Brasil poderia participar do G8, grupo das oito nações mais desenvolvidas e ricas do mundo. Apesar de, à época, possuir características suficientes para participar, o Brasil não foi aceito, por decisão dos Estados signatários do grupo.

Os foros internacionais são criados por determinados países para atender interesses específicos. A inserção de mais um membro no grupo é produto de um complexo processo decisório que pode ser marcado tanto pela sabedoria e pela prudência como pela idiossincrasia e por tipos particulares de elitismo.

Outro exemplo são os constantes debates sobre a reforma do Conselho de Segurança das Nações Unidas para ampliar o número de membros permanentes. As cinco nações que hoje o compõem resistem à entrada de outras, uma vez que o aumento do número de integrantes do Conselho acarretaria perda relativa de influência de cada um dos integrantes tradicionais.

Assim, a inserção bem-sucedida de um país dentro da sociedade internacional não depende apenas do esforço de seu povo e de suas lideranças, mas também de conseguir que a sociedade internacional tenha disposição ou seja obrigada a aceitar uma alteração do *status quo* ou da correlação de forças internacionais já estabelecida.

Assim sendo, diferente da *soberania*, que é uma condição, a *autonomia* é um *processo*, seu desenvolvimento é gradual e, às vezes, sujeito a retrocessos.

5. A estratégia de países centrais para a contenção da autonomia brasileira

A constante disputa por poder, que é o traço marcante das relações internacionais, também pode ser entendida pela busca incessante dos Estados Nacionais por mais e mais autonomia.

Mesmo as grandes potências devem se preocupar com a melhoria da margem de autonomia de que desfrutam, uma vez que mudanças sociais intermináveis levam a constantes ressignificações no contexto internacional, o que pode ser depreciativo para o poder delas. Um item de exportação que foi estratégico em 1970 pode não servir para nada em 1990, um sistema de armas que hoje é revolucionário pode ficar obsoleto num prazo inferior a uma década.

Agrava essa situação o fato de o mundo do poder ser marcado por profundo arrivismo entre as nações. Boa parte dos países com menos autonomia quer melhorar a sua viabilidade nacional e ascender. Já os países com mais autonomia (as grandes potências) não querem ter novos concorrentes e usam de todos os expedientes para impedir a ascensão dos países que estão em patamares considerados inferiores.

Com essa mentalidade, as grandes potências melhoram a sua viabilidade nacional mantendo-se à frente da corrida tecnológica[65] e fazendo guerras de manutenção de *status quo*, como têm sido as guerras em que os EUA se envolvem no Oriente Médio, por exemplo.

Fora essa conduta, existe um esforço mais sutil para debilitar a autonomia daquelas nações que estão prestes a ascender no contexto internacional: por meio de propaganda, sabotagem, coação econômica e outras técnicas sofisticadas de infiltração e influência política.

---

[65] O que projeta luz sobre o real sentido da corrida espacial nos anos da guerra fria, por exemplo.

É desse jeito que países como o Brasil são constantemente obstruídos em seu desenvolvimento por sofisticadas ações, urdidas externamente, sem que percebamos de imediato. Pior, com a colaboração de muitos brasileiros, alguns de má-fé, outros por interesses particulares ou ingenuidade.

Caso emblemático foi a participação ostensiva dos Estados Unidos na conspiração que levou ao golpe de 1964. A preparação durou alguns anos e incluiu até ameaça de invasão militar. O resultado todos sabem: trouxe ao Brasil uma ditadura de 21 anos, comprometendo, em muito, nosso futuro.

Por outro lado, nos últimos 30 anos, pouco a pouco, o Brasil foi se deixando levar para um grande atoleiro: aceitou e submeteu-se totalmente ao que pregava o chamado Consenso de Washington.

Usando como justificativa a dívida pública, uma aliança entre interesses dos setores financeiros internacionais e locais tem provocado uma progressiva desestruturação do Estado brasileiro. Cada vez menos somos capazes de garantir nossa soberania e autonomia.

Resumimos em cinco pontos principais o processo de estrangulamento da autonomia da nação brasileira:

- **1) Pressões para a privatização de todas as empresas públicas estratégicas.**

  Como já escrevemos, o grande desenvolvimento do capitalismo brasileiro dependeu, e ainda depende, de empresas públicas estratégicas para prosperar. Em um período de menos de seis décadas, o Brasil tornou-se a principal nação industrializada da América Latina e estava pronto para ser um dos principais países da sociedade internacional.

  Entre outras razões, a política açodada de privatização de empresas estratégicas, sem visão de longo prazo e atendendo interesses particulares de alguns setores, castrou o poder público de suas possibilidades de dar impulso e direcionamento ao desenvolvimento nacional.

Parte da indústria de base passou para o controle do setor privado, que logo deixou de ser nacional. Atualmente, mesmo funções vitais de regulação dos bens públicos têm sofrido impactos com a corrosão da autoridade de agências de regulação, como é o caso da Agência Nacional de Energia Elétrica (ANEEL).

A própria Petrobras acabou por ter funções de regulação explícitas, ainda que o objetivo central da empresa não seja, prioritariamente, esse. Nos últimos anos, passou a ser pressionada pela política de preços dos combustíveis indexados ao dólar, o que favorece apenas seus principais acionistas, em detrimento do consumidor nacional.

Além disso, por interesses privados, é levada a deixar de lado as refinarias nacionais, priorizando a exportação de petróleo bruto e a importação de gasolina e diesel cotados em dólares. O elevado preço do diesel tem trazido uma situação desesperadora para os brasileiros, em especial para os transportadores de cargas.

2) *Pressões sobre o Banco Central.*

Por meio da imposição de "cartilhas" de administração pública e da aliança com agentes internos filiados aos interesses do capital financeiro global, é feita uma imensa pressão sobre o Banco Central no sentido de induzir políticas nocivas ao desenvolvimento nacional.

O Banco Central está concentrado apenas no controle da inflação e alheio à sua outra importante função, que é zelar pela preservação da atividade econômica e do emprego.

Por incrível que pareça, existe até pressão pela privatização total ou parcial da Casa da Moeda, o que tiraria do poder público até um maior controle sobre a impressão do dinheiro brasileiro, castrando o Estado de uma importante ferramenta administrativa.

- **3) Desmoralização da política, em especial do Congresso Nacional.**
Nos 35 anos da Nova República, embora haja um número significativo de bons parlamentares, o poder legislativo tem se descaracterizado e perdido legitimidade, ora submetendo-se cegamente ao poder executivo, ora envolvendo-se em escândalos que levam inevitavelmente à crise de legitimidade.

    Entre outras, uma importante razão para isso é a criação de leis que impulsionam a multiplicação de partidos, muitos com o único objetivo de ocupação fisiológica de poder. A contínua desmoralização desqualifica o poder legislativo como um todo, gerando desinteresse e até medo em pessoas mais sérias e preparadas de participar da atividade política. A noção que se passa é a de que tudo o que é público não presta e só o privado merece respeito. Criou-se a falsa crença de que este seria mais eficiente e impermeável à corrupção.

    A descrença na política promove o divórcio das instituições públicas com o povo. Isso acaba fomentando a alienação popular das grandes questões nacionais, com o consequente enfraquecimento das instituições democráticas e sério risco para nossa autonomia como nação e para a própria democracia.

- **4) Infiltração econômica e ideológica internacional e o patrocínio de grupos sabotadores nacionais.**
Muitas vezes, em função dos interesses geopolíticos em jogo, os governos dos países centrais, aliados a interesses financeiros privados locais, usam de sua condição econômica para financiar forças políticas disruptivas em nações em ascensão, a fim de fragilizar a ordem social, as instituições e empresas nacionais.

    Nesse sentido, muitas ONGs ou grupos de formação da juventude, com a desculpa de formar quadros para a política, acabam por infiltrar e sabotar partidos políticos mais estruturados, fazendo com que eles se desfigurem em sua identidade ideológica, a partir de "seus novos" quadros.

Mais do que isso, tal poder contribui para fundar novos partidos políticos que, surgidos do "dia para noite", infiltram-se no sistema político e deturpam as constelações de alianças. O resultado disso é uma interferência significativa nas eleições, seja para cargos executivos ou legislativos. No Parlamento, assim como nos governos, atuam pela aprovação de leis ou decisões sobre recursos públicos que favorecem, centralmente, setores econômicos que os apadrinham.

Assim sendo, fora o "poder convencional" dos grandes oligopólios e agências de crédito internacional, que consiste em chantagear os países periféricos com oferta e retirada de créditos e investimentos, um poder paralelo muito mais sutil e de difícil mapeamento se institui.

Essa ação subversiva do capital internacional e das grandes potências não é nova, não tem como alvo apenas o setor público e às vezes rompe a barreira da sutileza.

Ações de sabotagem de um país contra outro continuam e são antigas. Nesse sentido, vale ser citado como exemplo o assassinato de Delmiro Gouveia (1863-1917), um industrial brasileiro da área têxtil que foi um precursor do desenvolvimentismo brasileiro ao fundar uma hidrelétrica no salto de Paulo Afonso. O assassinato de Delmiro beneficiou a Machine Cotton, empresa de capital britânico que tudo fez para prejudicar as Linhas Estrela, de Delmiro, na disputa pelo controle do mercado nordestino de linhas[66].

---

[66] BANDEIRA, Luiz Alberto Moniz. *Cartéis e descolonização: a experiência brasileira, 1964-1974*. Rio de Janeiro: Civilização Brasileira, 1975.

O relatório de 2019 feito pelo Programa da Nações Unidas para o Desenvolvimento (PNUD), compartilha da nossa visão. Por ele, percebemos que a questão da deterioração das instituições não é um problema só brasileiro. A ilustração a seguir descreve a visão do PNUD acerca do poder das elites econômicas mundiais. Se considerarmos que as grandes empresas transnacionais têm uma relação de simbiose com os seus países de origem, entenderemos a natureza do *poder mundial*, instituído pela capacidade econômica das transnacionais e apoiado pela capacidade militar de seus países de origem.

Poder Estrutural: Ameaça de retirada de investimentos em resposta a decisões estatais.

Poder Instrumental:
- *Lobbies*
- Controle da Imprensa
- Financiamento de campanhas eleitorais e/ou partidos políticos
- Criação de partidos políticos favoráveis aos negócios
- Promoção da rotatividade dos cargos políticos
- Formação de *think-tanks* favoráveis aos negócios.

PERCEPÇÃO DO "PODER MUNDIAL" PELAS AUTORIDADES DO PNUD
Esquema apresentado pelo relatório de 2019 do Programa das Nações Unidas Para o Desenvolvimento (PNUD). Ele ilustra os principais meios de que os países centrais e as grandes empresas transnacionais dispõem para sabotar o poder público nas periferias do sistema mundial.

Fonte: PROGRAMA DAS NAÇÕES UNIDAS PARA O DESENVOLVIMENTO (PNUD). *Relatório de desenvolvimento humano (2019)*. Lisboa: Camões – Instituto da Cooperação e da Língua, 2019, p. 247.

- **5) *Sucateamento e alienação das Forças Armadas.***
O poder militar é um componente fundamental da autonomia nacional, dado que ele é um vetor de desenvolvimento tecnológico e um provedor de elementos dissuasivos que consolidam a posição que o país possui frente à sociedade internacional. Tanto do ponto de vista tecnológico como do ponto de vista doutrinário, as Forças Armadas brasileiras têm passado por sucessivos processos de enfraquecimento e de desnacionalização de meios, promovidos por constantes políticas de compra de equipamento militar obsoleto dos EUA, o que inibe a indústria nacional de produzir e inovar.

A própria desnacionalização da doutrina de defesa é um problema sério. Aliena a oficialidade brasileira dos problemas de defesa mais elevados e põe as Forças Armadas nacionais a servirem como instrumento de ação de forças supranacionais. Do jeito como as coisas caminham, poderá haver, como já se ouviu, a transformação do Brasil num protetorado do Estados Unidos, o que seria um desastre final para o sonho de construirmos uma nação digna de seu povo.

5.1 Sair dessas armadilhas
Para começar a se libertar de tais armadilhas, o país deve formar um corpo intelectual próprio – que seja autônomo em suas interpretações e em suas concepções –, em uma iniciativa científica parecida com aquela que a Comissão Econômica para a América Latina e Caribe (CEPAL) inaugurou no final da década de 1940.

Nesse particular, é imperativo iniciar a construção de um pacto social nacional que, apoiado na produção científica, tecnológica e de inovação em todas as áreas do conhecimento, assuma a missão de formular teorias próprias sobre o desenvolvimento brasileiro. Que prepare pessoal qualificado e que se estabeleça no Brasil um "clima intelectual" avesso a influências ideológicas nocivas aos interesses da nação brasileira vindas de fora das nossas fronteiras.

É importante destacar que o conhecimento é uma fundamental fonte de autonomia nacional.

6. O que se entende por política externa?

A política externa é uma modalidade especial de política pública, feita fora das fronteiras nacionais. Por ter essas características, a política externa só é viável com o mínimo de concordância com a conduta internacional de outros países, o que torna os grandes empreendimentos internacionais um produto da simbiose dos interesses dos atores nele envolvidos.

Por exemplo, o Mercosul, fundado em 1991, só foi possível dada a convergência de interesses entre os seus "sócios", no caso o Brasil, a Argentina, o Uruguai e o Paraguai. Graças, também, a uma sequência inédita de condições proporcionada pela Guerra das Malvinas em 1982[67].

Porém, não podemos falar de política externa sem considerar as variáveis internas que dão formato a ela. Toda ação que um país executa fora de suas fronteiras é o produto da vontade de grupos sociais que estão de posse do poder, ou do consenso entre diferentes grupos que veem seus interesses atendidos em determinado modelo de política externa.

Por exemplo, nos anos 1990 o Brasil acabou por não aderir à proposta estadunidense da **Área de Livre Comércio das Américas** (ALCA), considerada de natureza desindustrializante para o Brasil. Por trás dessa obstrução, estava a ação dos sindicatos brasileiros e da FIESP, que consideravam a ALCA prejudicial para os interesses tanto dos trabalhadores como dos industriais. Esse foi um dos últimos momentos em que trabalhadores e empresários trabalharam juntos em defesa da indústria nacional.

---

[67] Com a derrota na Guerra das Malvinas (1982), a Argentina sofreu sérios embargos econômicos, a ponto de se ver isolada da comunidade econômica europeia. Nesse sentido, foi preciso superar as rivalidades históricas com o Brasil e fundar o Mercosul, que serviria de "válvula de escape" para as exportações argentinas

BANDEIRA, Luiz Alberto Moniz. *Brasil, Argentina e Estados Unidos – Conflito e integração na América do Sul (da Tríplice Aliança ao Mercosul – 1870 - 2003)*. 2. ed. Rio de Janeiro: Renavan, 2003.

Tendo por base essa definição, é justo dizer que a política externa é a modalidade de política mais difícil de se executar, em decorrência da grande gama de interesses envolvidas em sua formulação.

A política externa também depende de recursos. Países desenvolvidos, com mais acesso a recursos financeiros e mais possibilidades de formação de profissionais, conseguem ter uma política externa muito mais eficaz.

Por isso, chamamos a atenção para o tamanho e para a qualidade da rede de representação diplomática. Quanto maior for o número de embaixadas de que a nação dispõe, mais recursos ela pode mobilizar na comunidade internacional. Tais recursos ajudam na abertura de mercados e na importação de tecnologias e conhecimentos sensíveis.

Ajudam também na obtenção de recursos financeiros para questões específicas, ou mesmo na arregimentação de aliados e parceiros para questões estratégicas de cooperação.

Uma elite dirigente nacional jamais deve ignorar os aspectos políticos e militares da representação externa que as nações possuem. Nós alertamos para esse fato porque este tem sido um erro corriqueiro do Brasil em seus momentos de esforço extremado para tirar o protagonismo do Estado no desenvolvimento do país.

No Brasil de hoje, equivocadamente, a elite dirigente, muito ligada ao setor exportador de *commodities*, como minérios e produtos agropecuários, tem concebido que a única função da diplomacia é a abertura de novos mercados para o impulsionamento de seus negócios.

De fato, essa interpretação não está tão errada, mas incompleta. Vale a pena retomarmos o exemplo descrito por Amado Cervo e Clodoaldo Bueno, em seu livro *História da política exterior do Brasil*[68]. Tais autores falam da influência do poder legislativo sobre a qualidade da política externa brasileira nos dez primeiros anos da República.

Em seu período monárquico, o Brasil possuía noções claras de política externa. Mantinha uma ampla rede de representações (legações) no exterior, herdadas do serviço diplomático português.

---

[68] CERVO, Amado Luiz; BUENO, Clodoaldo. *História da política exterior do Brasil*. Brasília: UNB, 2002.

Com fim do Império, o poder legislativo passou a ser ocupado por representantes da elite agroexportadora, que, usando o seu peso político superlativo, fechou as embaixadas dos países que não tinham relações comerciais significativas com o Brasil, alegando que a medida visava à contenção de despesas.

Como resultado, o Brasil perdeu aliados políticos importantes, como a Suíça, que, apesar de não ser um parceiro comercial relevante, era um aliado significativo nas articulações políticas do Império.

Naturalmente, esta foi uma conduta pouco sábia que resultou em prejuízos para a projeção estratégica do Brasil e, o pior, perda de prestígio internacional. Isso mudou a partir dos anos 1930.

Por incrível que pareça, nos mandatos presidenciais de Fernando Henrique Cardoso, o Brasil adotou uma conduta internacional semelhante, reduzindo para apenas quatro o número de legações brasileiras no continente africano para conter despesas, o que reduziu a influência política brasileira em um flanco importante do Mundo Meridional.

7. Política externa e desenvolvimento: o exemplo da "Equidistância Pragmática" de Vargas (1936-1941)

É importante observar que a política externa não é apenas um extravasamento das aspirações e concepções da comunidade política nacional, mas um suporte necessário à política econômica. Se passarmos em revista as quase seis décadas de políticas públicas do Brasil desenvolvimentista, três[69] episódios vão nos servir de ilustração sobre o valor da política externa para o planejamento econômico.

Entre os idos de 1935 e 1941, o governo Vargas adotou uma modalidade de política externa chamada de "Equidistância Pragmática"[70]. Nesses anos, as relações internacionais se degradavam e o mundo caminhava para a Segunda Guerra Mundial.

---

[69] Nos referimos a três políticas autonomistas desenvolvidas pelo Brasil do século XX: A "Equidistância Pragmática" de Vargas, a " Política Externa Independente" de Jânio Quadros e João Goulart, e o "Pragmatismo Responsável" do governo Geisel.

[70] MOURA, Gerson. *Autonomia na dependência: a política externa brasileira de 1935 a 1942*. Rio de janeiro: Nova Fronteira, 1980.

Pensando pelo ponto de vista da concepção, a Equidistância Pragmática atendia aos imperativos da política industrial brasileira, que nós apresentamos anteriormente. Durante todo o século XIX e começo do século XX, o maior volume das relações comerciais brasileiras acontecia com o Império Britânico: os ingleses compravam do Brasil produtos tropicais, notadamente o café, e vendiam artigos industrializados, principalmente o tecido.

Não havia interesse algum em oferecer para o Brasil máquinas sofisticadas, bens de capitais que poderiam levar o Brasil a se industrializar. Naturalmente, essa era uma parceria assimétrica que só era mantida pelo Brasil por falta de outra melhor.

Com o enfraquecimento da Grã-Bretanha após a Primeira Guerra Mundial, a pressão militar inglesa sobre nações não industrializadas diminuiu. Da mesma forma, desde a proclamação da República, em novembro de 1889, as relações comerciais com os EUA se tornavam mais volumosas.

A Primeira Guerra Mundial e a crise de 1929 serviram para prover o Brasil de um grau de autonomia suficiente para diversificar suas parcerias e, mais do que isso, importar tecnologias úteis para a industrialização nacional.

Assim, em 1935, o Brasil assina um tratado comercial com os EUA e, em 1936, outro tratado com a Alemanha. Obviamente, as duas potências queriam primazia no comércio com o próspero país do Sul, o que dava ao Brasil *autonomia pela permissividade internacional.*

Vendendo produtos tropicais, o Brasil conseguiu importar máquinas e técnicas, o que permitiu ao país fazer avanços importantes na implantação da indústria de base e no reequipamento das Forças Armadas. Apesar de ter sido de difícil gestão, ninguém nega que os ganhos da Equidistância Pragmática foram de grande valor, inclusive do ponto de vista político-diplomático.

Uma maior aproximação do Brasil com a Alemanha levava a novas concessões comerciais por parte dos EUA. A situação contrária também se verificava: momentos de maior aproximação entre o Brasil e os EUA obrigavam o governo alemão a fazer novas concessões ao Brasil.

É correto observar que toda política obedece a um ciclo de ascensão e declínio, de maneira que o desgaste é inevitável para qualquer modelo de política que se pense. Tal desgaste nem sempre está atrelado à falta de habilidade dos formuladores e operadores, uma vez que as mudanças de condições do cenário podem desgastar e até tornar obsoleto um modelo de política pública.

Foi exatamente o que aconteceu com a Equidistância Pragmática: a evolução dos fatos e as concessões obtidas em longas negociações levaram o Brasil a tomar partido pela causa antinazista.

A necessidade de o Brasil reprimir agentes alemães infiltrados na burocracia e no poder legislativo corroía as relações com Berlim, e a imensa pressão feita pelos EUA para obter o apoio brasileiro ia da política cultural, baseada na "política de boa vizinhança" até a coação militar, tendo por base o risco de as forças militares dos EUA invadirem o Nordeste brasileiro.

Vargas sabia do desgaste que os EUA teriam numa ação militar dessa natureza e, em junho de 1940, a bordo do cruzador Minas Gerais, fez um discurso calculado em que dava a entender que o Brasil se alinharia à Alemanha de Hitler. Rapidamente, uma longa negociação em curso com o governo americano foi resolvida: financiamento e tecnologia para a construção de uma grande siderúrgica estatal, a Companhia Siderúrgica Nacional (CSN), por fim criada em 1941 e inaugurada em 1946, na cidade de Volta Redonda.

Os Estados Unidos queriam montar bases no Nordeste brasileiro, em razão da Segunda Guerra Mundial em curso, além de continuar vendendo material bélico ao Brasil. O que não queriam era ajudar na industrialização brasileira, uma vez que detinham o monopólio da produção de aço, além de diversos produtos industrializados.

Com elevadas reservas de minério de ferro e de outros metais, a construção de uma grande siderúrgica ampliaria a produção de aço pelo Brasil e fortaleceria a indústria local, como de fato aconteceu. O temor era que, de comprador, o Brasil passasse a concorrente dos americanos no mercado internacional, o que se deu anos mais tarde.

8. A política externa brasileira no tempo da guerra fria (I) – 1947-1964

Quando a guerra terminou, boa parte dos quadros burocráticos brasileiros acreditava que o Brasil teria outro papel na chamada guerra fria, e que o prestígio advindo da luta brasileira na Europa contra o nazifascismo se converteria em capital político e traria mais autonomia no contexto internacional, o que não aconteceu.

Quando a Segunda Guerra Mundial terminou, as preocupações centrais dos EUA foram a reconstrução da Europa e o combate à União das Repúblicas Socialistas Soviéticas, a URSS, que foi a principal força que derrotou o Exército nazista. Em 8 de maio de 1945, a Alemanha caiu; quatro meses depois, em 2 de setembro, o Japão se rendeu.

Do Brasil, passou a ser exigida a abertura unilateral de mercados, o que acarretaria desindustrialização e retrocesso do país no seu avanço em busca da consecução dos seus objetivos nacionais. Com a conivência do presidente Dutra, que assumiu a Presidência da República em 31 de janeiro de 1946, o elevado grau de autonomia da Equidistância Pragmática foi reduzido a uma conduta de resistência à abertura econômica em um conjunto de relações que passaram a ser de alinhamento incondicional com os EUA.

A partir de então, a política externa brasileira variou entre dois modelos, aplicados segundo o senso de pragmatismo de cada grupo político empossado. Um desses modelos é o alinhamento com os EUA. Por vezes inevitável, esse alinhamento oscila entre uma conduta pragmática, pensando em obter ganhos para o Brasil, e uma conduta só ideológica, como foi, inicialmente, a política externa de Castelo Branco e como é a permanente política externa de submissão de Bolsonaro.

Fazendo uma política mais pragmática com os EUA, JK teve muito sucesso. Já próximo do final do seu governo, no ano de 1959, aconteceu a Revolução Cubana, e o governo brasileiro aproveitou a oportunidade para negociar uma espécie de "Plano Marshall"[71] para a América Latina, que ficou conhecido como *Operação Pan-Americana* (OPA).

---

[71] Plano Marshall foi o programa de apoio econômico e técnico para a reconstrução da Europa Ocidental, arrasada pela Segunda Guerra Mundial. Mesmo países que foram inimigos dos EUA durante a guerra, como a Alemanha, foram reconstruídos com dinheiro do plano. O interesse dos EUA para a reconstrução da Europa Ocidental estava em viabilizar uma rede de aliados na nova disputa que se seguia, contra a URSS. A prova maior disso foi que os países do bloco comunista não receberam apoio do plano.

De curta duração, a OPA resultou em ganhos como a fundação do Banco Interamericano de Desenvolvimento (BID) e da Associação Latino--Americana de Livre-Comércio (ALALC), fundada em 1960 e refundada em 1981 com o nome de Associação Latino-Americana de Integração (ALADI).

O problema maior da política de alinhamento com os EUA é que ela exigia a subserviência do Brasil aos interesses estadunidenses em troca de benefícios residuais. Outro problema é que nos afastava de parceiros comerciais que poderiam ser benéficos para o Brasil.

A famosa visita de João Goulart à China, em 1961, é um exemplo de como a aproximação do Brasil com um inimigo potencial dos EUA, embora abrindo novas fronteiras comerciais, teve consequências desestabilizadoras, que foram orquestradas de fora do país.

João Goulart e Jânio Quadros tentaram fazer reformas na política externa priorizando a diversificação de parcerias, no que ficou conhecido como "Política Externa Independente".

Como o próprio nome sugere, a Política Externa Independente objetivava uma condução da diplomacia brasileira de maneira independente dos dois grandes centros de poder mundial que, na época, eram os EUA e a URSS. As condições objetivas para tal feito residiam na descolonização da África e da Ásia, que tivera início no final da década de 1940 e que deu para a sociedade internacional um número de nações muito maior que o existente no período anterior à Segunda Guerra Mundial.

Jânio Quadros logo renunciou à Presidência, e João Goulart, o vice que assumiu o mandato depois de muita tensão política no país, nomeou, em setembro de 1961, o visionário San Tiago Dantas como ministro das Relações Exteriores.

O objetivo era aproveitar as necessidades comerciais dos países recém-independentes do, chamado, Terceiro Mundo[72] para inserir as

---

[72] O termo "Terceiro Mundo" foi usado cotidianamente durante a guerra fria e ainda tem um significado histórico importante. "Terceiro Mundo" foi a designação dada ao grupo de Estados Capitalistas Pobres. Já os países de "Primeiro Mundo" seriam os países capitalistas desenvolvidos e os países de "Segundo Mundo" seriam os países socialistas. Tal tipificação foi considerada obsoleta com a implosão da URSS em 1991. Essa nomenclatura foi proposta pelo demógrafo francês Alfred Sauvy (1898-1990) em 1952.

mercadorias brasileiras industrializadas. Essa seria uma alternativa viável para resolver o problema da escassez de demanda pela qual passava a indústria brasileira de bens duráveis no começo da década de 1960, uma vez que o mercado brasileiro estava saturado desses produtos.

Apesar de a Política Externa Independente estar vinculada a uma política de não alinhamento com os grandes interesses da guerra fria, as forças políticas internas do Brasil, alinhadas com os Estados Unidos, rotularam-na de "comunista".

FRANCISCO CLEMENTINO SAN TIAGO DANTAS
San Tiago Dantas foi um dos maiores nomes da diplomacia brasileira e um dos formuladores da "Política Externa Independente", que, apesar de curta, foi inovadora em seu propósito, desenvolvimentista e alinhada com interesses humanos dos mais nobres.

9. A política externa brasileira no tempo da guerra fria (II) – 1964-1989

Com a deposição do governo Goulart, em 1964, a política externa sofreu uma contrarreforma e passou a ser novamente, por um tempo, uma política de alinhamento total com os EUA, agora em bases muito mais ideológicas do que pragmáticas.

Na América do Sul, as rivalidades entre as repúblicas, que remontavam à época do processo de formação dos Estados Nacionais, foram retomadas, o que representou um sério retrocesso no processo de conciliação de interesses.

Com a crise do petróleo de 1973, o Brasil se viu obrigado a abrir novos mercados. A crise energética nos impunha a procura de parceiros dispostos a vender petróleo em condições especiais.

Com um território tão vasto, era imperativo ao Brasil pesquisar novas jazidas do precioso combustível e desenvolver tecnologias para a geração de energias alternativas. Por outro lado, o grau de desenvolvimento industrial que o país havia atingido obrigava a exportação dos produtos industrializados.

Foi então que Geisel lançou a política do Pragmatismo Responsável, formulada pelo seu chanceler, Azeredo Silveira (1917-1990). Era uma política de diversificação de parcerias, cujos princípios muito se pareciam com os da Política Externa Independente.

Segundo essa doutrina, o Brasil não devia perder oportunidades internacionais por questões ideológicos da guerra fria, como já havia defendido San Tiago Dantas, ministro de João Goulart. Assim, foram feitas parcerias comerciais em todos os continentes, inclusive com o Bloco Soviético.

Muita ênfase foi dada aos países recém-independentes do Terceiro Mundo, sendo que o Brasil foi um dos primeiros países a reconhecer a independência de Angola, por exemplo. Avançamos no Oriente Médio, com o Iraque tornando-se um dos nossos principais parceiros comerciais.

O Iraque passou a ter uma importância fundamental para o Brasil, uma vez que fornecia petróleo e comprava mercadorias que variavam de carne de frango a veículos blindados, fabricados pela brasileira ENGESA – Engenheiros Especializados S.A., que foram usados na guerra contra o Irã, além de automóveis. Emblemático foi o "Passat Iraque", automóvel fabricado no Brasil especialmente para o mercado iraquiano.

O Pragmatismo Responsável foi apontado como um dos maiores sucessos do governo Geisel, uma vez que deu suporte à política econômica do II PND e colocou o Brasil em uma posição de destaque no Terceiro Mundo.

Tal política foi novamente mudada nos anos de 1990, com o governo de Fernando Henrique Cardoso (1995-2002), que combinou o alinhamento aos interesses dos EUA com uma maior participação do Brasil nos foros e instituições da ONU e uma redução do número de embaixadas, para a contenção de despesas.

10. A política externa na Nova República: de Sarney a Itamar Franco

A guerra fria entrou em declínio no final da década de 1980 e foi encerrada em 1991.

Com o fim dela, o Brasil buscou adaptar-se à nova configuração da ordem mundial, fazendo uso da rica herança da diplomacia brasileira com suas linhas de ação na sociedade internacional. No entanto, muitas das apostas nem sempre foram bem-sucedidas.

O governo José Sarney inaugurou um conceito que caracterizou a diplomacia brasileira nos últimos trinta anos: a "Diplomacia Presidencial". Nesse modelo, as visitas presidenciais a outros países eram muito mais frequentes e a influência do presidente sobre a política externa, muito mais marcante.

O próprio Sarney pode ser considerado o fundador do Mercosul, tendo feito ele dezenas de vistas à Argentina. Suas tratativas diretas com o presidente Raúl Alfonsín (1927-2009) tornaram possível a construção deste bloco econômico que, em sua concepção original, deveria ser um acordo bilateral entre Brasil e Argentina, mas recebeu a adesão do Paraguai e do Uruguai.

Nos dois anos em que ficou no poder, Fernando Collor de Mello começou a reforma da política externa, que culminaria com a abertura dos mercados. Da forma como foi implementada, essa abertura acelerou o processo de desindustrialização do Brasil.

Alegando a pouca qualidade dos produtos brasileiros — o próprio presidente chamou os automóveis brasileiros de carroças[73] —, o

---

[73] Curioso lembrar que o presidente Collor estimulou a importação de antiquados automóveis russos desenvolvidos pela empresa Lada, baseados em tecnologia da Fiat do final da década de 1950. Os mais conhecidos foram os modelos Laika e Niva.

governo Collor foi um ponto de rompimento com a política externa desenvolvimentista do governo Geisel.

Afora o forte teor ideológico do governo Collor, alinhadíssimo com as diretrizes do Consenso de Washington, a abertura comercial obedecia a pressões internacionais derivadas do desmoronamento da URSS e do consequente reordenamento de forças no cenário internacional. Em 1991, a URSS foi extinta, sepultando definitivamente o projeto soviético.

No começo daquele mesmo ano, a Guerra do Golfo serviria de vitrine para o poder militar e capacidade de organização política dos EUA, o que pressionava para o fim do "terceiro-mundismo" enquanto doutrina internacional.

Em países como o Brasil, a Argentina e o México, a "Crise da Dívida" ainda surtia seus efeitos, e a estabilização da moeda era vista como imperativa. Isso acabou resultando num duro golpe no "nacional--desenvolvimentismo". Tornou-se, também, o maior álibi para a imposição das ideias do Consenso de Washington.

Nesse contexto, Itamar Franco (1930-2011), que assumiu com a saída de Collor, tentou retardar o processo de abertura descontrolada da economia, mas não conseguiu uma contrarreforma da política externa iniciada por Collor. Interessado na integração da América do Sul, o governo Itamar apostou no projeto da Área de Livre-Comércio Sul-Americana (ALCSA), que também não prosperou.

11. Fernando Henrique Cardoso e a política externa da "Autonomia pela Integração"

Quando assumiu o poder, em 1995, Fernando Henrique Cardoso transformou as tendências inauguradas por Collor em uma doutrina da política externa. O conjunto de medidas que daria suporte à sua política externa foi denominada "Autonomia pela Integração".

A doutrina da Autonomia pela Integração apregoava que o Brasil deveria não apenas participar, mas também ajudar na construção das novas organizações internacionais, que surgiam na década de 1990.

A principal dessas organizações era a Organização Mundial do Comércio (OMC), que, por fim, institucionalizava os princípios liberais do Acordo Geral Sobre Tarifas do Comércio (GATT), de 1947. Apesar de fundar-se no liberalismo clássico, é atualmente um dos instrumentos da política econômica conhecida como neoliberal, que advoga para os países emergentes o protagonismo do Mercado sobre o Estado.

A doutrina partia do princípio de que as indústrias brasileiras já eram competitivas e, portanto, não haveria problemas com uma abertura total das importações. Imaginava-se também que o Brasil teria um lugar de destaque na nova ordem internacional. Claramente, a citada doutrina estava mais alinhada com política econômica de estabilização da moeda e acabou causando enorme prejuízo para a indústria brasileira.

Na prática, os resultados foram duvidosos: a nova conduta representou um alinhamento mais estreito com os EUA e várias embaixadas brasileiras na África foram fechadas para reduzir gastos. Do ponto de vista da sua autonomia, o Brasil também teve reveses.

Para recuperar a reputação internacional e melhorar a permissividade internacional, o Brasil assinou pactos antiarmamentistas, como o Tratado de Não Proliferação (TNP), que proibiam o país de construir artefatos nucleares, e também acordos que proibiam o Brasil de possuir mísseis com alcance superior a 300 km.

Com a desindustrialização causada pela abertura indiscriminada a importações e com a sobrevalorização do real em relação ao dólar, o Brasil perdeu muitas de suas empresas estratégicas, como a já citada ENGESA. No fundo, a Autonomia pela Integração comprometeu a autonomia do país.

Desde 1989, os EUA propunham a política denominada "Iniciativa para as Américas" que perdurou durante os mandatos de Bush (1989-1993) e Clinton (1993-2001).

Fora o humilhante componente militar[74], a iniciativa concebia uma zona de livre-comércio em todo o hemisfério, uma proposta que ficou conhecida como Área de Livre Comércio das Américas (ALCA), que

---

[74] A dimensão militar do plano focava o tráfico de drogas como o principal inimigo das Américas. A política previa a intervenção em conjunto na guerra civil colombiana e a redução do perfil estratégico das Forças Armadas dos países da América Latina para forças de combate à insurreição, com funções meramente policiais.

deveria eliminar as barreiras tarifárias entre todos os países da América do Norte e do Sul.

A sociedade brasileira, no geral, viu com maus olhos a ALCA, temerosa de que ela seria a "pá de cal" na indústria brasileira. Ela foi repudiada tanto pelas centrais sindicais como pela FIESP, em um dos últimos momentos que a sociedade brasileira formou consenso em torno de uma grande questão.

Com a vitória nas eleições de 2002, Lula cumpriu sua promessa de campanha e "engavetou" a proposta da ALCA. Com a vitória de partidos de esquerda em vários países da América Latina, a ALCA tornou-se anacrônica e os governos dos EUA, a partir de George W. Bush, também abandonaram o projeto, por considerar mais produtiva a negociação bilateral.

12. Lula e o retorno da política externa Sul-Sul

Com a ascensão de Lula, a política externa brasileira teve seu último grande momento. Tendo como formuladores Celso Amorim e Samuel Pinheiro Guimarães, Lula reinicia uma política externa de conteúdo Sul-Sul que ficou conhecida como "Política Externa Altiva e Ativa".

As diretrizes da política estavam na afirmação da liderança regional, no fomento das parcerias com países do Sul geopolítico e na promoção das exportações.

Na política externa, uma das principais pastas do governo Lula, foi feita uma ativa diplomacia presidencial, levando o presidente a uma intensa campanha de viagens para o exterior, que tinham como consequência o alargamento da influência o país.

Nesse contexto, o Mercosul foi reformulado, deixando de ter funções exclusivamente mercantis e passando a ter funções sociais e políticas também. Foi fundada a União das Nações Sul-Americanas (UNASUL), que, atuando na política continental, serviria de contraponto à Organização dos Estados Americanos (OEA), permitindo que as nações da América do Sul discutissem suas questões sem a interferência direta dos EUA.

Em um cenário mais abrangente, o Brasil começou a participar do foro IBAS (Índia, Brasil e África do Sul), muito importante para a cooperação tecnológica entre três jovens democracias que lutam para superar o subdesenvolvimento.

Nos anos de Lula, os aspectos de maior amplitude da política externa voltaram a florescer, com maiores preocupações no desenvolvimento de relações com a China e a participação do país em foros internacionais. O principal deles foi o BRICS, formado por Brasil, Rússia, Índia, China e África do Sul.

13. Os últimos dez anos de política externa brasileira

O desempenho do governo Lula com a política externa não foi replicado pelo governo Dilma Rousseff. As transformações do cenário internacional se fizeram sentir, e a mandatária não demonstrou o mesmo interesse de Lula pela pasta internacional.

Com o *impeachment* de Dilma Rousseff, Temer assume o poder e retoma os princípios de alinhamento com os EUA, semelhante ao que foi feito no governo de Fernando Henrique Cardoso. Porém com uma diferença marcante: o desinteresse pelo Mercosul. Em seu documento de ação, que chamou de "Ponte para o Futuro", o Mercosul não foi visto como prioridade, mostrando um viés para políticas externas mais imediatistas e menos estratégicas.

Já a política externa de Bolsonaro é caracterizada por um alinhamento ideológico com os EUA, marcada muito mais por uma veneração à grande potência do Norte do que pelos interesses objetivos da República Brasileira. Bolsonaro abriu o mercado consumidor brasileiro de maneira unilateral para os EUA e atraiu a antipatia do governo chinês.

Essa antipatia, partindo de um alegado anticomunismo, chegou a ofensas pessoais. O mesmo ocorreu com países da União Europeia, especialmente a França. Ao ser apontado como um destruidor do meio ambiente, em 2019, Bolsonaro ofendeu a primeira-dama francesa, promovendo um mal-estar entre dois tradicionais aliados.

Com o resultado das eleições estadunidenses e a ascensão de Biden ao poder, Bolsonaro sofreu mais desgastes que, com um pouco de bom senso, poderia ter evitado.

A política externa do Brasil sempre foi motivo de orgulho para os brasileiros. Com Bolsonaro no comando, a incompetência em sua política externa comprometeu fortemente a nação e causou sérios impactos comerciais, políticos e morais ao país, com graves consequências no presente e no futuro.

Quinta Parte

O que fazer?

1. Fortalecer as instituições públicas

Antes de mais nada, é preciso deter a degradação das instituições que sustentam o Estado democrático, recompor o tecido social. A contínua política de excessiva austeridade no financiamento dos serviços públicos tem colocado o país perigosamente à beira do colapso social, com milícias e o crime organizado ocupando mais e mais o território de importantes cidades.

É fundamental reverter a desconstrução do Estado Nacional, essencial para recuperarmos importantes instrumentos de coordenação e financiamento do desenvolvimento nacional.

2. Retomar a política econômica centrada no crescimento do país

Lembrando o tanto que o Brasil cresceu, por décadas sucessivas, a partir dos anos 1930, a primeira decisão é, sem dúvida, criar as condições para que o país volte a crescer de forma sustentável.

3. Viabilizar pactos sociais e planos de desenvolvimento nacional

Vimos até aqui que a pedra angular do vertiginoso crescimento brasileiro durante décadas foi a *existência e a execução de planos de desenvolvimento nacional envolvendo amplos setores da nação* e coordenados pelo poder público. Neles, a atividade industrial sempre foi um dos fundamentos principais.

Essa preocupação com o contínuo planejamento do desenvolvimento do país começou a ser deixada de lado no início da década de 1980, e foi totalmente abandonada na transição da década de 1980 para a de 1990. Naquela ocasião, teve início um novo ciclo de economia com viés mais liberalizante que caminhou rapidamente para o chamado **neoliberalismo fundamentalista**, o qual trabalha celeremente para implantar um "Estado Mínimo" no Brasil.

Essa visão pressupõe o afastamento total do Estado da condução da política econômica nacional, deixando-a para o assim chamado Mercado. Além disso, postula o afastamento significativo do poder público de suas responsabilidades sociais e do combate às desigualdades.

A comparação das duas épocas, antes da década de 1980 e depois da década de 1990, possível depois de mais de 30 anos, põe em contraste o sucesso de realização e de ganhos do Brasil desenvolvimentista (1930-1985) com a crescente perda de capacidades da sociedade brasileira a partir da década de 1990.

No contexto do século XX, os planos de desenvolvimento do país resultaram na institucionalização das estruturas do Estado Nacional, acompanhada de robusto processo de industrialização, que representou para o Brasil ganhos importantes:

- crescimento econômico sustentado, sem grandes impactos na balança de pagamentos e com redução da dependência de insumos estrangeiros;

- aumento significativo da oferta de empregos de qualidade, com ampliação e fortalecimento do mercado consumidor interno;

- estabelecimento de uma rede de universidades que permitiu a consolidação da prática da pesquisa científica no Brasil;

- melhoria na capacidade estratégica do Brasil, com a melhor ocupação do território, inclusive para a agricultura e para o desenvolvimento da indústria de defesa;

- melhorias nas capacidades do setor público, com maior arrecadação de impostos, melhoria na formação do funcionalismo e melhoria dos serviços públicos.

Como vimos, por um conjunto de fatores que envolviam questões internacionais e o próprio desgaste conjuntural do modelo nacional, o programa de industrialização induzida foi abandonado, o que levou ao desarranjo da sociedade brasileira, com o agravamento de questões sociais trazidas pela urbanização e a fragmentação da sociedade.

No final da década de 1970, os países de capitalismo central passavam por uma nova revolução industrial, a Terceira Revolução Industrial. Esta, o capitalismo brasileiro pouco conseguiu acompanhar, até porque foi nessa época que a economia brasileira começou a entrar na crise que solapou conquistas importantíssimas, especialmente no setor industrial, o mais intensivo em desenvolvimento tecnológico e em empregos de melhor qualidade.

Concluindo, é necessário desvencilhar-se da crença cega de que o chamado *Mercado* pode, por si só, coordenar o desenvolvimento da grande nação brasileira. É preciso saber do necessário protagonismo do *Estado*, numa ação de tamanha envergadura.

É mais do que urgente a busca por pactos sociais que viabilizem a construção de planos de desenvolvimento nacional sustentáveis, que façam despertar o enorme potencial do Brasil, vocacionado a tornar-se uma grande potência mundial, promovendo o bem-estar de seus cidadãos e contribuindo para um bom entendimento entre as nações.

4. Implantar uma política externa que garanta a autonomia do país

O melhor modelo de política externa para o Brasil é aquele que leve em conta o acréscimo sustentado de nossa autonomia. Assim, modelos de parcerias como a que temos hoje com a China e com os EUA carregam em si o grande defeito de promover apenas as nossas exportações de produtos primários, *commodities*, o que acaba por tirar a força de nossa indústria e limitar muito nosso desenvolvimento tecnológico.

Em relação à pandemia da COVID-19, que nos atingiu em cheio, é importante lembrar que anos atrás, com a desculpa de cortar gastos, o Brasil abriu mão da produção dos IFA (Insumos Farmacêuticos Ativos), que são a base da fabricação de vacinas e outros medicamentos. Hoje, importa 95% deles.

Veio o Novo Coronavírus e ficamos na fila para conseguir os IFA, muito em função da absurda e desrespeitosa condução política do então ministro da Relações Exteriores. Milhares de brasileiros poderiam ter sobrevivido.

Logicamente, a exportação de soja, milho, ferro e outros produtos primários[1] é fundamental para a economia do país. Assim, buscando conservar a demanda por nossas *commodities*, devemos procurar, por enquanto, expandir parcerias dentro do Mundo Meridional para estimular a venda de nossos produtos industrializados, algo que nós, ultimamente, só estamos conseguindo, limitadamente, pelo Mercosul[2].

Aqui não defendemos este ou aquele governo, relatamos fatos. Quanto à política externa, o presidente Lula, deu grande valor à busca de novos mercados internacionais para a produção industrial e agropecuária do Brasil. No conjunto de acordos feitos, merecem destaque dois foros de concertação:

- **IBAS** (sigla para Índia, Brasil e África do Sul): foi um foro de cooperação setorial e representou a formalização das alianças táticas que os três países habitualmente faziam em foros internacionais.

---

[1] Produtos primários são aqueles que, derivados da agricultura ou dos diferentes tipos de extrativismo, possuem pouco ou nenhum beneficiamento industrial.

[2] O Mercosul é uma organização de cooperação econômica que tem como principais sócios o Brasil, a Argentina, o Paraguai e o Uruguai. Fundado como um acordo regional de livre-mercado em 1991 pelo Tratado de Assunção, o acordo se transformou em uma organização internacional em 1994, com o Protocolo de Ouro Preto.

- **BRICS** (sigla para Brasil, Rússia, Índia, China e África do Sul): trata-se de uma proposta mais abrangente de coordenação política que visava a reforma do sistema internacional dentro de uma concepção multipolar de sociedade internacional.

Com o passar da década de 2010, o governo brasileiro, assim como os governos indiano e sul-africano, acabaram por dar preferência para o BRICS, deixando o IBAS cair em obsolescência. A nosso ver, esse foi um erro estratégico por dois motivos:

- em primeiro lugar, o IBAS é um foro mais homogêneo que o BRICS, constituído por três importantes nações com grande potencial de crescimento. Não existem rivalidades territoriais dentro dos três parceiros do IBAS, diferentemente do que acontece no BRICS, no qual existem rivalidades como entre a Índia e a China;

- por ser mais modesto em termos de interesses estratégicos, o IBAS não desperta o "furor punitivo"[3] dos EUA, o que dá aos seus membros condições mais estáveis de desenvolvimento.

Índia, Brasil e África do Sul ocupam posições estratégicas nas três grandes penínsulas que formam o Mundo Meridional. A aliança entre os três países, com cooperação comercial e militar, daria viabilidade e projeção estratégicas para cada um dos três membros. Seria uma forma sólida de diversificar as parcerias e ganhar em autonomia, fazendo do Brasil um polo econômico para o mundo em desenvolvimento.

---

[3] Segundo Perry Anderson (2015), um dos objetivos da política externa dos EUA é eliminar do cenário geopolítico modelos de sociedade que eles reconhecem como rivais. Assim, foi imensa a pressão econômica, diplomática e militar dos EUA sobre países que, mesmo pequenos, representavam modelos de organização econômica diferentes do seu, como foi o caso de Cuba, Líbia, Iraque, Irã, Síria e mesmo da Argentina peronista, na transição da década de 1940 para 1950. A grande autonomia da China e da Rússia, autonomia esta amparada em denso poder militar, impede uma ação direta dos EUA sobre esses países.

5. Acompanhar, no possível, a Quarta Revolução Industrial

A Terceira Revolução Industrial, também chamada de *Revolução Técnico-Científica*, foi possível graças aos maciços investimentos públicos de governos, especialmente o estadunidense, na corrida espacial e na *Iniciativa para a Defesa Estratégica*, acelerada no governo Reagan. Consistiu-se no desenvolvimento dos computadores e das telecomunicações, e o seu sucesso deu origem à internet.

Paradoxalmente, foi justamente nessa época que os Estados Unidos e a Inglaterra mais contribuíram para a disseminação da doutrina, na verdade uma crença que impunham, de que os Estados Nacionais da América Latina, entre outros, deveriam cortar qualquer investimento público produtivo.

O Brasil terminava de concluir sua industrialização de modelo "2.0", mas, submisso ao chamado Consenso de Washington, ficou alheio ao processo, apesar de já possuir empresas de informática e ter uma área de comunicações eletrônicas implantada.

No começo do século XXI, os países de capitalismo central entraram na *Quarta Revolução Industrial*, "Indústria 4.0", caracterizada pelo desenvolvimento de novas áreas, como a nanotecnologia e a biotecnologia, mas, principalmente, pelo desenvolvimento superlativo da informática, que criou uma autêntica "indústria digital" de aplicativos, bancos de dados e robôs virtuais. Merece destaque a chamada "Internet das Coisas", capaz de sofisticados conjuntos de operações antes só possíveis com a presença de trabalhadores humanos.

A *Indústria 4.0* põe mais um dilema para a maior parte das sociedades, inclusive aquelas que deram origem à Quarta Revolução Industrial. Atividades que antes eram intensivas em mão de obra acabam sendo executadas por robôs, o que, sem uma devida ação dos governos, pode levar, em um primeiro momento, ao desemprego maciço, e, depois, ao pauperismo estrutural, mesmo nas sociedades mais ricas.

O processo de acelerada informatização também pode causar uma espiral negativa na economia, uma vez que ocorre uma diminuição efetiva do consumo por quem não tem trabalho, não recebe e não paga impostos.

Assim, o problema que é posto para os brasileiros de nossa geração tem um duplo sentido:

- em primeiro lugar, a nação brasileira deve decidir recuperar sua capacidade produtiva, apoiando a modernização e a retomada da atividade industrial. Ela é a que mais demanda pesquisa tecnológica e pode diminuir a lacuna de autonomia que existe entre o Brasil e os países de capitalismo central;

- em segundo lugar, é necessário retomar o papel social da atividade econômica. Esta deve ser de natureza inclusiva, no sentido de incorporar mão de obra e dar às famílias uma fonte de renda digna, baseada no trabalho e na profissionalização.

A retomada do esforço industrial é desafiadora, mas possível, dado o tamanho do mercado brasileiro e o significativo parque industrial ainda remanescente, além da capacidade que o poder público pode ter para fazer investimentos.

A rede de universidades públicas brasileiras e os institutos públicos de pesquisa possuem capacidade e qualidade formidáveis de pesquisa científica e tecnológica, além de um tradicional intercâmbio com importantes centros mundiais de produção de conhecimento. Eles são imprescindíveis para aumentar a produtividade necessária para a retomada do desenvolvimento do país, inclusive por serem capazes de formar quadros técnicos de altíssimo nível para a administração pública e privada.

O planejamento do país deve ser centrado em metas e investimentos sólidos, bem diferente da cultura de microprojetos que tem povoado a administração pública brasileira, especialmente desde o final da década de 1980.

Tal esforço de planejamento deve se basear em atividades dínamos da economia, que reduzam as despesas externas do Brasil com insumos tecnológicos e tornem possível o desenvolvimento técnico e científico da sociedade brasileira.

Como vimos, nos anos 1930 essas atividades residiam na indústria têxtil e na indústria alimentícia. Para os padrões de desenvolvimento da época, tais indústrias ofereciam produtos que eram muito demandados pelo pouco sofisticado mercado brasileiro da época.

Bastou um mínimo de incentivo governamental e proteção aduaneira para que setores domésticos da economia formassem uma grande indústria.

Como se sabe, o Brasil ainda tem um formidável potencial de desenvolvimento industrial que deve ser abraçado com coragem e organização por parte dos agentes realizadores dos setores público e privado. É preciso considerar também a dimensão social da atividade industrial.

A indústria é o polo fundamental de inovação, gerador de riqueza, de empregos em quantidade e qualidade maiores, além de ser decisiva para a autonomia de um país.

A Quarta Revolução Industrial, a chamada *Indústria 4.0*[4], exige maior protagonismo do setor público brasileiro em setores-chaves, como no desenvolvimento da tecnologia de semicondutores e no desenvolvimento de softwares avançados.

Contudo, não devemos perder de vista que a industrialização 4.0 se mostra desafiadora até para os países de capitalismo central. Isso acontece pelas suas dificuldades de implantação e pelos impactos sociais que a mudança tecnológica começa a causar.

No Brasil, esses impactos tendem a ser maiores, em função das grandes desigualdades sociais e dos consequentes problemas que sempre abalaram o país.

Assim, é necessária a discussão dos termos em que essa transformação deve ocorrer, no sentido de garantir estabilidade social e econômica, sem tirar a inventividade e a dinâmica do empreendedor privado.

---

[4] A *Indústria 4.0* é um novo e atual momento da industrialização em que há uma intensiva automação nos processos industriais tendo a internet como centro, por exemplo: computação em nuvem e a internet das coisas. São máquinas "falando" com máquinas, provocando radicais transformações nos processos de produção. Muitos anos antes, numa segunda fase, a indústria incorporou a eletricidade e aumentou fortemente sua produtividade. Posteriormente, a evolução industrial chegou ao que se pode chamar *Industria 3.0*, que incluiu computadores e a utilização da internet.

A AVALIAÇÃO DO PROGRAMA DAS NAÇÕES UNIDAS PARA O DESENVOLVIMENTO (PNUD)[5]

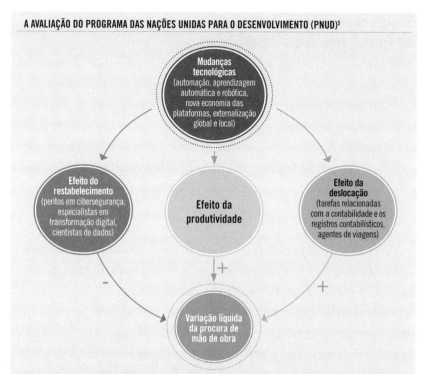

Reprodução. Disponível em: PROGRAMA DAS NAÇÕES UNIDAS PARA O DESENVOLVIMENTO (PNUD). Relatório de desenvolvimento humano (2019) p. 31. Lisboa: Camões – Instituto da Cooperação e da Língua, 2019.
Relatório completo índice de desenvolvimento humano PNUD 2019
Fonte: https://www.undp.org/pt/brazil/publications/relat%C3%B3rio-do-desenvolvimento-humano-2019

Reafirmamos que, para a sobrevivência da autonomia de nossa nação, faz-se necessário uma atuação das várias esferas do poder público, em conjunto com a iniciativa privada, para o planejamento amplo do futuro da economia brasileira. É preciso evitar a atomização da produção econômica para a escala individual, como assistimos nos nossos dias, com o aumento insustentável da informalidade e da desnacionalização do nosso parque produtivo, incluindo a agricultura.

É importante notar que, junto com a extinção em grande escala de postos de trabalho, um processo de recriação de profissões e de surgimento de novas já está ocorrendo. Neste particular, o Programa das Nações Unidas para o Desenvolvimento (PNUD) já demonstra interesse por esse fenômeno, e o relatório de 2019 aponta para a possibilidade de reorientação das atividades profissionais de acordo com os imperativos da Quarta Revolução Industrial.

Dentro dessa lógica, que prevê a desconstrução do mundo do trabalho por um flanco e seu renascimento e reconfiguração por outro, é que deve atuar o esforço brasileiro de planejamento. Há setores que serão pouco impactados em escala nacional e outros que tendem a desaparecer, causando grande instabilidade social.

O estudo sério e sistemático da revolução 4.0 deve apontar para a necessidade de formação de novos tipos de profissionais, demandando flexibilidade e assertividade do sistema educacional do país.

---

[5] Fonte: <http://www.uenf.br/portal_old/index.php/en/uenf-logo.html.>

6. Âncoras para o desenvolvimento sustentável do Brasil nos dias de hoje

Quais seriam as âncoras, ou seja, o que daria sustentação à construção de um Brasil unido e forte e, também, soberano e democrático?

De pronto, apresentamos quatro pontos-chaves para um plano nacional de desenvolvimento: *pactos sociais; educação; agricultura; indústria*, em especial a de defesa, a indústria da saúde, a indústria da construção civil, a indústria siderúrgica, a indústria do refino do petróleo, a indústria da energia, a indústria alimentícia, a indústria dos transportes.

6.1 Pactos sociais

Em primeiro lugar, é bom esclarecer que pacto social significa um acordo entre diferentes setores ou classes sociais, mesmo antagônicas, e não prevê a submissão de uma das partes às outras.

Podemos dizer que, tacitamente, ou seja, nem sempre formalmente, pactos sociais vigoraram no Brasil em boa parte do período chamado de *desenvolvimentista*[6], que partiu do primeiro governo de Getúlio Vargas, em 1930, e estendeu-se até meados da década de 1980. Muitos chamam, ainda, esse tempo todo de "Era Vargas". Aliás, em 1994, Fernando Henrique Cardoso disse ter como objetivo *"acabar com Vargas"*[7].

Naqueles longos anos de *desenvolvimentismo*, apesar dos problemas criados com duas décadas sob ditadura, o Brasil foi o país que mais cresceu no mundo, como já afirmamos. Importantes direitos trabalhistas e sociais se concretizaram e hoje foram tirados, principalmente por iniciativa dos governos Temer e Bolsonaro.

---

[6] Entendemos aqui o *desenvolvimentismo* como o conjunto de princípios e de medidas tomadas, inicialmente, pelo governo Vargas para o desenvolvimento social e industrial do Brasil. Tais medidas foram continuadas pelo governo JK e pelos governos que se seguiram, inclusive no período da Ditadura, que, no entanto, diminuiu sua dimensão social.

[7] FHC diz que lei é 'fim da era Vargas'. *Folha de S. Paulo*, 14 fev. 1995.
Fonte digital: https://www1.folha.uol.com.br/fsp/1995/2/14/brasil/26.html. Acesso: 26 jan. 2022.

FHC QUERIA O FIM DA ERA VARGAS

Fernando Henrique Cardoso
Discurso no Senado Federal, 14 de dezembro de 1994

"Senhor Presidente, Senhores Senadores,

Levamos a cabo a tarefa da transição. Olhando para trás, revendo os obstáculos vencidos, podemos dizer a nós mesmos e ao País, sem jactância, mas com satisfação: missão cumprida.

Mas a hora não é de congratulação apenas. É de pensar no futuro. De projetar, com a régua e o compasso da democracia, o tipo de País que queremos construir para nossos filhos e netos. E de colocar mãos à obra para vencer a distância do sonho à realidade.

Acontece que o caminho para o futuro desejado ainda passa, a meu ver, por um acerto de contas com o passado.

Eu acredito firmemente que o autoritarismo é uma página virada na História do Brasil. Resta, contudo, um pedaço do nosso passado político que ainda atravanca o presente e retarda o avanço da sociedade. Refiro-me ao legado da Era Vargas – ao seu modelo de desenvolvimento autárquico e ao seu Estado intervencionista.

Esse modelo, que à sua época assegurou progresso e permitiu a nossa industrialização, começou a perder fôlego no fim dos anos 70.

Atravessamos a década de 80 às cegas, sem perceber que os problemas conjunturais que nos atormentavam – a ressaca dos choques do petróleo e dos juros externos, a decadência do regime autoritário, a superinflação – mascaravam os sintomas de esgotamento estrutural do modelo varguista de desenvolvimento.

No final da "década perdida", os analistas políticos e econômicos mais lúcidos, das mais diversas tendências, já convergiam na percepção de que o Brasil vivia, não apenas um somatório de crises conjunturais, mas o fim de um ciclo de desenvolvimento de longo prazo. Que a própria complexidade da matriz produtiva implantada excluía novos avanços da industrialização por substituição de importações. Que a manutenção dos mesmos padrões de protecionismo e intervencionismo estatal sufocava a concorrência necessária à eficiência econômica e distanciaria cada vez mais o Brasil do fluxo das inovações tecnológicas e gerenciais que revolucionavam a economia mundial. E que a abertura de um novo ciclo de desenvolvimento colocaria necessariamente, na ordem do dia, os temas da reforma do Estado e de um novo modo de inserção do País na economia internacional. [...]"

6.2 Educação, Ciência, Tecnologia e Inovação

Muito se tem escrito, desde os anos 1980, com o fim da Ditadura, sobre o caráter libertador da educação, além de reestruturador da sociedade brasileira.

Por isso, é fundamental a existência de um sistema de educação pública eficiente e vigoroso, gerido diretamente pelo Estado, como acontece em todos os países desenvolvidos.

Educação Básica

A imensa maioria da população brasileira depende diretamente do ensino público. Cerca de 82% dos 50 milhões de alunos matriculados no ensino básico estudam em escolas públicas. Destes, em números aproximados, 24 milhões estão no ensino fundamental, 7 milhões no ensino médio, 6 milhões na educação infantil, 3,5 milhões na educação de jovens e adultos e 50 mil em classes especiais.

O compromisso com a oferta de uma educação pública, gratuita, laica e de qualidade é um insumo decisivo para o desenvolvimento do país. Apesar da grave e absurda crise econômica, isso tem sido crucial para que milhões de brasileiros marginalizados ainda tenham alguma chance de melhorar suas vidas.

Como herdeiros que somos do Iluminismo[8], acreditamos e fazemos da educação nossa bandeira de luta. Cabe aqui apresentar alguns importantes aspectos de um projeto educacional, bem como os entendimentos basilares que temos.

A educação é um conjunto de práticas que formam a sociedade. Não se restringe apenas à instrução e ao treinamento profissional, mas inclui também a interiorização de valores e a formação de subjetividades necessárias em cada indivíduo para que seja possível o convívio social.

Dois aspectos devem ser considerados:

- 1) A educação é uma prática social complexa, na qual a escola tem um lugar central. Porém é necessário compreender a importância formativa de outros agentes sociais, como o meio social em que o estudante está, a família, a religião, o Estado, as forças do mercado e a sociedade como um todo. É fundamental esse entendimento para que a própria escola interaja de forma mais abrangente e possa ter sucesso na sua missão.

   Por isso, é correto observar que a educação é uma *prática comunitária* e de *responsabilidades compartilhadas*. Nesse sentido, cabe

---

[8] O Iluminismo é um movimento filosófico do século XVIII que floresceu na França, Alemanha e Inglaterra, que defendia a ciência e a busca do conhecimento como principais caminhos para a resolução dos problemas humanos.

ao poder público coordenar, em nível nacional e envolvendo toda a sociedade, a definição das diretrizes e da base curricular da Educação no Brasil.

É de responsabilidade dos governos garantir os recursos para o desenvolvimento e a manutenção de um sistema educativo público com instituições escolares de boa qualidade, com a formação de educadores vocacionados, e na definição do conteúdo e práticas educativas, mediante ampla participação social que represente os anseios da nação.

- **2)** Nós consideramos um contrassenso perverso a prática formativa desvinculada de um plano nacional de desenvolvimento econômico e social. Isso não quer dizer que a sociedade deva formar seus cidadãos só para serem consumidos pelas forças do trabalho profissional. Pelo contrário, uma sociedade que tem por base o planejamento procura garantir, junto com a formação integral adequada, a criação de oportunidades de trabalho digno, adequadamente remunerado. Aliás, houve época em que isso aconteceu no Brasil, mas já não acontece.

É necessário que a Educação ajude na formação humana do cidadão, apresentando a ele os bens culturais que a sociedade produziu, conscientizando-o dos desafios e das contradições com os quais a sociedade brasileira lida. O ideal é alcançar uma Educação Integral.
Em complemento a esse esforço, a Educação deve estar antenada com o desenvolvimento científico e tecnológico, em conformidade com as necessidades econômicas e sociais do Brasil.
Considerados esses dois pontos, fica evidente que a Educação e o desenvolvimento econômico são dois pilares sobre os quais deve se assentar um governo brasileiro. Assim como no desenvolvimento econômico, a Educação exige esforços de planejamento, com metas para o seu crescimento sustentado e melhoria de sua eficiência.
Importante considerar que não há dúvida de que a Educação deve ter continuidade com investimentos públicos sólidos e perenes, sem

ser afetada em sua essência por mudanças bruscas que, eventualmente, venham a acontecer com a mudança de governos. Por isso é tão essencial a continuidade do Plano Nacional de Educação e dos planos estaduais e municipais de Educação, que devem ser revisados a cada 10 anos, como determina Lei Federal.

Deve compor as preocupações orçamentárias a política salarial para professores e todos profissionais da Educação. Neste particular, é reconhecida a defasagem do salário dos trabalhadores da Educação Pública, como é o caso dos professores, que, muitas vezes, não contam com planos de carreira. A Educação deve atrair jovens capazes e vocacionados para a profissão, adequadamente formados para as funções que vão exercer.

Vivemos nos nossos dias um tempo de revolução tecnológica. O manejo de artefatos tecnológicos é algo próximo até do cidadão de vida mais modesta. O esforço nacional deve cuidar para que todos tenham acesso à tecnologia e façam uso dela para a promoção de valores mais elevados, como o conhecimento e o reconhecimento da dignidade humana.

Nesse sentido, o serviço educacional deve estar preparado não só para fazer a alfabetização digital, como também para educar os cidadãos para o uso consciente e cívico dos novos equipamentos. A tecnologia não deve servir para substituir o professor, mas sim para ajudar na sua formação e tornar o seu fazer profissional mais abrangente e atualizado.

Com a clareza da necessidade da busca de uma Educação Integral, é urgente a escola pública reafirmar seu protagonismo na construção de um futuro promissor para nossa nação e para todos os que aqui vivem.

Sempre é bom afirmar que, para a Educação cumprir seu papel adequadamente, o Brasil precisa ter como prioridade o crescimento econômico e social. Precisa de metas definidas em planos de desenvolvimento econômico e social.

Ciência, Tecnologia e Inovação (CT&I)

Uma das grandes e mais marcantes características dos Estados periféricos é a dificuldade de assimilação de tecnologias produzidas pelos Estados do chamado Primeiro Mundo.

Tal quadro se agrava quando se verifica que os países menos desenvolvidos quase não produzem tecnologias e inovações, comprometendo a competitividade de suas empresas nacionais.

Assim, CT&I acaba por ser um ponto crítico da autonomia nacional. Isso acontece, em primeiro lugar, porque a CT&I tem múltiplas facetas que tocam desde a produtividade da economia, passando pela segurança sanitária e alimentar, chegando até a eficiência militar.

Em segundo lugar, o mundo da Ciência, Tecnologia e Inovação é competitivo, "egoísta" e muito hierarquizado: raramente uma nação desenvolvida transfere tecnologia para as nações periféricas.

Mesmo as empresas transnacionais buscam absorver processos produtivos e tecnologia produzidos pelas suas subsidiárias do Sul geopolítico. No entanto, pouco, ou quase nada, transferem de conhecimento crítico para estas.

Assim, apontamos como prioridades para a política nacional de Ciência, Tecnologia e Inovação, CT&I, as seguintes diretrizes:

- deve ser dada prioridade para as nossas maiores vulnerabilidades: eletrônica e informática. O objetivo é possuir uma indústria nacional autônoma e exportadora de produtos e conhecimentos;

- devem ser fomentadas áreas com grandes possibilidades de futuro, como a biotecnologia, a nanotecnologia e as energias renováveis;

- também devem ser fomentadas as áreas que subsidiem a política pública para o meio ambiente;

- o Estado deve ter um esforço perene para o desenvolvimento CT&I. Os países de capitalismo central, por exemplo, destinam cerca de 3% do PIB por ano para o desenvolvimento de CT&I. Nesse sentido, deveríamos ter uma vinculação obrigatória do PIB, por pelo menos dez anos, para a criação e o aperfeiçoamento de um contexto de inovação tecnológica;

- valorizar o corpo científico e também os profissionais de áreas de apoio, como técnicos de laboratório, com formação, treinamento e remuneração adequada. Criar condições de trabalho e remuneração para evitar a evasão de cérebros e profissionais qualificados para outros países;

- desburocratizar e tornar mais eficaz o sistema de registro de patentes;

- criar um sistema que proporcione a efetiva transferência de conhecimentos e técnicas desenvolvidas nos institutos de pesquisa e universidades públicas para setores de produção industrial privados e públicos. Da mesma forma, é necessário um sistema que faça a transferência de conhecimentos científicos para o aprimoramento da administração e dos serviços públicos;

- manter coesos as universidades e os institutos públicos de pesquisa, que são os principais atores do desenvolvimento de CT&I.

O desenvolvimento do setor de CT&I é um importante ponto de sobrevivência para uma sociedade. O Brasil pecou muito neste quesito nos últimos 30 anos, mas ainda dá tempo de mudar.

Por um **Brasil Unido** e Forte

Reprodução. Disponível em: http://www.blogdogarotinho.com.br/lartigo.aspx?id=5109

TRÊS GRANDES REALIZADORES, A SERVIÇO DE UM PROJETO DE EDUCAÇÃO INTEGRAL
Na foto, Leonel Brizola, Darcy Ribeiro e Oscar Niemeyer em torno da maquete da Universidade Estadual do Norte Fluminense. É importante lembrar que esses três políticos tiveram uma importância fundamental na instituição dos CIEPs (Centros Integrados de Educação Pública), uma das iniciativas brasileiras mais sérias para a implantação de um sistema de educação integral pública e de qualidade.

Reprodução. Disponível em: https://mobile.twitter.com/leonelbrizolarj/status/1346509950785368069

6.3 A agricultura

Apesar do esvaziamento populacional do campo, a produção agrícola é absolutamente fundamental para a garantia das exportações e o equilíbrio da balança de pagamentos brasileira.

Agregar valor à produção: a agroindústria

Muito importante considerar a necessidade de um esforço do país para agregar mais valor aos produtos agrícolas produzidos no Brasil, especialmente os para exportação.

Por "agroindústria" entendemos o setor manufatureiro que agrega valor às mercadorias oriundas da agricultura, da pecuária e do extrativismo, setor para nós diferente da "indústria agrícola", que produz máquinas e insumos para o campo.

Em primeiro lugar, devemos pensar a agroindústria em larga escala, pois salta aos olhos os benefícios do desenvolvimento dessa atividade para a balança de pagamentos brasileira. É inegável que o Brasil é um país de vocação agrícola, mas também é inadmissível que o país se contente em exportar seus bens primários, *commodities*, sem um beneficiamento mínimo.

Assim, em vez de apenas soja em grão, deveríamos exportar também o farelo de soja e o óleo de soja. O mesmo vale para o café, para o minério de ferro e tantas outras riquezas que, quando beneficiadas no Brasil, são valorizadas para a exportação e geram empregos de mais qualidade para a nossa população.

Em segundo lugar, devemos entender os benefícios da agroindústria quando pensada em pequena escala. É neste patamar que conseguimos ver o potencial desta atividade para o enfrentamento de alguns dos desafios históricos brasileiros. Ao incentivar a atividade da agroindústria em escalas menores, o Estado poderá contribuir para a permanência da população no campo, gerando emprego e renda nos rincões mais pobres do país. Nesse sentido, o beneficiamento de frutas, oleaginosas, fibras e resinas naturais pode inserir áreas historicamente excluídas no processo de desenvolvimento brasileiro. Direitos trabalhistas e incentivo à organização de cooperativas também ajudariam a fixar populações no campo.

Quando pensado dentro do contexto produtivo brasileiro, um terceiro aspecto chama a atenção a respeito da agroindústria: ela serve como uma fonte de demandas para outras indústrias fabricantes de máquinas e insumos.

Com base nestes pontos, devemos dizer que a agroindústria não deve ser subestimada, ao contrário, ela carrega em si um potencial para a produtividade e para a engenharia que precisa de atenção do governo e do setor privado, além da necessidade de estudos por parte de universidades.

Estimulo à indústria de equipamentos agrícolas

A agricultura é demandante de insumos industrializados, como máquinas, combustíveis e fertilizantes, o que pode, com um bom planejamento governamental, incentivar a indústria de capital nacional a ocupar novos nichos de mercado, como a produção de máquinas leves, menos prejudiciais ao solo e mais acessíveis, especialmente, ao pequeno produtor.

AGRICULTURA, MEIO AMBIENTE E QUALIDADE DE VIDA

Com apoio público, a agricultura brasileira precisa estar mais dentro do esforço pela redução dos impactos ambientais e fortalecer o mercado consumidor interno, assim como ajudar na luta pela diminuição das desigualdades sociais e pela melhoria da qualidade de vida da população. Outro aspecto importante é o equacionamento da questão da posse da terra, capaz de ampliar significativamente a oferta dos alimentos mais consumidos pelos brasileiros.

Eliseu Gabriel • Marcos Fávaro

OS PRODUTOS CIVIS DA ENGESA E O MERCADO AGRÍCOLA
Para melhorar sua participação no mercado, a já citada indústria de blindados ENGESA produziu também equipamentos para uso civil, e os seus jipes fizeram relativo sucesso. Na foto, temos o trator agrícola EE 1125, pensado para a agricultura de grande extensão, e concorreu com os tratores Case. Esse é um exemplo das potencialidades que o meio rural brasileiro oferece para o fomento da indústria. Outro fato importante está no aspecto inovador deste trator: a ENGESA desenvolveu **máquinas pesadas movidas a etanol**, em compasso com o programa energético nacional, o Proálcool.

Reprodução. Fonte: http://www.lexicarbrasil.com.br/engesa/

Resolver problemas estruturais da Agricultura:

A agricultura tem uma importância inestimável para o Brasil, não apenas pela sua contribuição econômica, mas também pela importância que essa atividade tem para a história e a formação social e cultural do Brasil.

Paradoxalmente, a agricultura de grande escala, a monocultura praticada aqui há séculos, é responsável por devastações ambientas que poderiam ser evitadas e por grande parte da desorganização e da desigualdade da sociedade brasileira. Analisaremos essa situação em três aspectos:

- **Desorganização territorial**

  Desde a época colonial, a ocupação do território brasileiro aconteceu obedecendo à racionalidade da exploração de terras para a agricultura de exportação. Assim, o território brasileiro se constituiu como um conjunto de núcleos de ocupação dispersos, voltados para comércio internacional.

  A integração desses núcleos foi tão difícil que até o presente momento o processo não foi concluído, com cidades como Manaus precariamente integradas ao conjunto urbano brasileiro.

  A agricultura de grande escala, com presença hegemônica da grande propriedade de terras, não funda cidades, ampliando aquilo que se convencionou chamar de *fronteira oca*, ou seja, imensas extensões de terras desabitadas e ocupadas por modelos de lavouras de caráter destrutivo para o meio ambiente.

- **Concentração de renda e falta de solidariedade entre as classes sociais**

  A agricultura brasileira se manteve, nos três primeiros séculos de colonização, explorando mão de obra escrava. Depois da abolição da escravidão, a prática agrícola serviu como um dispositivo de reprodução de subemprego, caso dos chamados "boias-frias".

  O crescimento da mecanização acelerou o êxodo da população para a cidade a partir da década de 1960. Hoje, a urbanização do Brasil está entre as maiores do mundo, e, quando analisada no prazo de gerações, a agricultura de grande escala brasileira construiu uma das maiores concentrações de renda do mundo.

Segundo o Relatório de Desenvolvimento Humano (RDH), publicado pela ONU no final de 2019, o Brasil possui a segunda maior concentração de riqueza do mundo, perdendo apenas para o Catar[9].

Isso se agrava porque, diferentemente de uma economia industrial, o trabalho na agricultura no Brasil é muito mal remunerado, o que faz os senhores de terra concentrarem fortunas com preocupações mínimas com a remuneração adequada ou as condições de vida dos trabalhadores, o que gerou graves problemas estruturais ao longo dos séculos.

A exceção à regra reside na prática de parcerias em culturas específicas como a do café, nas quais o "porcenteiro"[10] tem alguma condição de acumular para comprar um pouco de terras.

- **Altíssima concentração fundiária, com pouca atividade regulatória da posse da terra**
  Como vimos na primeira parte deste trabalho, no Brasil, a posse da terra sempre foi vista como sinal de *status* social e poder político, de maneira que negros, indígenas e imigrantes foram apartados dela. Política tacanha, garantida pela Lei de Terras de 1850, que foi uma das causas profundas da desigualdade social brasileira.

Assim, para melhorar a produtividade e dar funções sociais mais elevadas para a agricultura, é necessário, uma política abrangente que reorganize o campo e melhore a ocupação territorial do Brasil.

---

[9] https://g1.globo.com/mundo/noticia/2019/12/09/brasil-tem-segunda-maior-concentracao-de-renda-do-mundo-diz-relatorio-da-onu.ghtml

[10] "Porcenteiro" é o trabalhador rural não assalariado, mas que trabalha em troca de uma parte da produção da propriedade. Geralmente esta é uma condição melhor que a do assalariamento, dada a baixa remuneração do trabalhador do campo.

As constantes altas no preço dos alimentos, comprometendo a qualidade de vida da maioria da população, é a prova maior de que a agricultura brasileira, além de exportações cotadas em dólares, precisa ter uma preocupação decisiva com o abastecimento do mercado interno, avaliado em reais.

Outro ponto crucial referente ao mundo rural brasileiro diz respeito ao impacto das atividades agropastoris de grande escala sobre o meio ambiente: desmatamento, poluição de águas e da atmosfera, além de destruição de solos. Por falta de um efetivo planejamento público, estes têm sido fontes de crises climáticas e de desertificação de expressivas extensões do território brasileiro. Podem e devem ser evitados.

Agricultura sintrópica, uma solução criativa

Há décadas estudiosos da agricultura brasileira, entre eles engenheiros agrônomos, preocupados com práticas sustentáveis de agricultura, desenvolveram a técnica da *agrofloresta*, posteriormente rebatizada de *agricultura sintrópica*. A partir dos estudos da ecologia[11], desenvolveram combinações consorciadas de lavoura que aproveitam as vocações naturais de determinado território para a melhoria da produtividade, preservação, e até a recuperação de nascentes e do meio ambiente em geral.

Para nós, esse conjunto de técnicas merece atenção e sólidos investimentos públicos. A promessa da *agricultura sintrópica* tem três pontos indiscutivelmente positivos, que sublinham a sua importância:

- **Sustentabilidade ambiental, com recuperação de solos destruídos**: o Brasil possui amplas áreas de solo degradados que sequer servem ao agronegócio. A recuperação dessas áreas é de fundamental importância, não somente para a preservação do meio ambiente, mas também para a melhoria da ocupação territorial. A agricultura sintrópica pode ser a ponta de lança para o processo de recolonização do território nacional, restaurando a biota onde

---

[11] Os autores agradecem as equipes organizadas em torno do Centro de Pesquisa em Agricultura Sintrópica (CEPEAS), especialmente ao professor Fernando Rebello, que nos concedeu uma belíssima entrevista. Ela pode ser acessada em nosso site: www.brasilunidoeforte.com.br

ela foi destruída e construindo um tecido social sustentável, que melhore a autonomia do Brasil pela formação de uma rede de cidades e pela implantação de novas obras de infraestrutura.

+ **Produção de alimentos saudáveis**: a agricultura brasileira pode ser capaz de oferecer, em curto espaço de tempo, maior quantidade de alimentos obtidos por práticas ambientalmente sustentáveis e livres de agrotóxicos, contribuindo para a saúde dos consumidores e dando perenidade às condições favoráveis do clima.

+ **Responsabilidade com o mundo do trabalho**: a agricultura sintrópica se aplica principalmente, mas não só, à pequena e média propriedade de terra. O trabalho é menos intensivo em maquinários, o que amplia as oportunidades de trabalho, emprego e uma muito melhor distribuição de renda. Nessa inteligente concepção de produção, em geral são úteis máquinas menos sofisticadas, que estão sendo desenvolvidas por seus idealizadores, bem ao contrário dos modernos e gigantescos tratores da chamada *Agricultura 4.0*. O fato de a nova prática necessitar de máquinas leves pode ser uma oportunidade para a indústria brasileira, uma vez que o mercado de microtratores torna-se um nicho importante. A partir da segunda metade do século XX, intensificou-se a migração da população brasileira do campo para a cidade, e o Brasil tornou-se um país urbano. Essa urbanização foi rápida e não acompanhada de políticas públicas que promovessem o desenvolvimento social, fato que era acalentado pelo notável crescimento econômico do país à época, que tornava acessíveis emprego e renda para as famílias.

A partir da década de 1990, com as taxas bem mais modestas de crescimento e a difusão de métodos de produção mais intensivos em tecnologia, o acesso ao trabalho ficou mais difícil. Na década de 2000, a política "neodesenvolvimentista" do governo Lula, ajudada pelo *boom* das *commodities*, chegou a lograr uma condição de pleno emprego, mas que durou poucos anos.

A realidade da década de 2010 foi ainda mais difícil, uma vez que a robotização do processo produtivo levou à extinção de postos de trabalho, deixando boa parte da população urbana sem trabalho ou renda.

Nesse sentido, o estímulo à um repovoamento ordenado do campo não deve ser ignorado como possibilidade de política pública. Tal estímulo deve ser precedido de uma criativa reforma agrária, além de formação técnica para o desenvolvimento e ocupação racional do solo rural.

6.4 Indústria de defesa

A indústria nacional de defesa possui conquistas que são reconhecidas inclusive no exterior. Ela é um elemento impulsionador de vários setores da economia, desde a produção de fardas e cutelaria, até a metalurgia e a eletrônica.

O sucesso passado da indústria de defesa brasileira se deve ao senso de perspectiva de seus idealizadores e ao fato de o país já contar com um parque industrial estabelecido.

Embora, no caso da indústria da defesa, sejam de grande importância as compras governamentais, seus idealizadores não pensaram apenas no abastecimento das Forças Armadas nacionais, mas também na exportação, especialmente, para países em desenvolvimento.

O sucesso das vendas foi obtido não apenas pela boa qualidade e baixo custo dos materiais, mas pelo fato de a indústria nacional de defesa explorar nichos de mercado que não eram contemplados pela indústria dos países do capitalismo central.

Exemplos desse sucesso foram o avião de treinamento militar Embraer **EMB312 Tucano**, sem qualquer concorrente à altura produzido no Ocidente; e o blindado de reconhecimento da ENGESA, o **EE 9 Cascavel**, que só possuía como concorrentes, em sua época, o antiquado **Panhard AML**, de produção francesa, e o caro e de difícil manutenção **Cadillac Gage Commando** dos EUA.

Atualmente, falta no mercado mundial um carro de combate médio. A empresa brasileira Bernardini tinha o projeto do carro **MB3 Tamoyo** que cumpria essa função, mas faliu em 2001. Essa foi uma oportunidade perdida, uma vez que o único blindado com essas características no mercado mundial é o chinês **Tipo 15**.

Assim, a indústria de defesa nacional deve ser reedificada sob a orientação de grupos de estudo que explorem a conciliação entre as necessidades estratégicas das Forças Armadas brasileiras e as necessidades do mercado internacional.

A boa relação entre a escala do mercado nacional e a oferta de itens básicos no mercado internacional poderá não apenas otimizar o abastecimento das Forças Armadas brasileiras, como também financiar o investimento em inovação tecnológica.

O NICHO DE MERCADO DOS BLINDADOS
Na foto, temos o carro de combate médio MB3 Tamoyo, produzido pela Bernardini na década de 1980. O projeto merece destaque pelo seu alto grau de nacionalização e pelo seu peso, que, com cerca de 30 toneladas, conseguia ser mais leve e adequado a territórios com pouca infraestrutura, como é caso dos países em desenvolvimento. A Bernardini faliu em 2001.

Fonte da imagem: https://www.cibld.eb.mil.br/index.php/historico-2/blindados-eb-parte-3

Forças Armadas: armas para o desenvolvimento, mas não uma nação em armas

Muito se tem escrito sobre a importância social das forças armadas em um contexto confuso e instável, no qual as opiniões aparecem mais orientadas pelo calor das paixões do que pela sábia orientação da história e da lógica.

Sendo assim, todo autor que se aventura a escrever sobre esse tema deve estar preparado para discutir o papel que as Forças Armadas têm para uma nação moderna e, em um quesito muito mais local, compreender o papel das Forças Armadas brasileiras para a formação e desenvolvimento do país. Da nossa parte, e para início de discussão, nós afirmamos que **as Forças Armadas são um dos pilares da autonomia nacional**.

O reconhecimento internacional de que um país tem Forças Armadas reconhecidamente competentes para sua defesa é um fator essencial para almejar uma maior autonomia. Somos contra a resolução de conflitos pela violência, mas, em tempos de guerra, a capacidade militar de uma nação é avaliada pela destruição que ela causa. Em tempos de paz, o poder militar participa da política externa com o seu valor potencial, uma vez que sua real capacidade é respeitada por outras nações.

Esse "respeito" que a posse de armas eficientes e em quantidade causa na sociedade internacional é tecnicamente chamada de **"dissuasão"** e melhora muito a projeção do país no cenário internacional. Isso faz com que as grandes potências procurem tê-lo como aliado ou o vejam como um inimigo a ser temido.

Vários exemplos poderiam ilustrar o valor político das armas. Citar todos excederia em muito o espaço de um livro. Basta mencionar que todo regime diplomático configurado nos anos da guerra fria (1946-1989) foi moldado tendo por base o fato de que tanto os EUA como a URSS tinham condições militares de destruir um ao outro e a todo o mundo.

Das potências europeias, uma das poucas que ficaram neutras na disputa entre EUA e URSS foi a Suécia, que possuí condições dissuasivas importantes. Quando o muro de Berlim caiu, pondo fim à guerra fria, a Rússia não abriu mão de suas capacidades militares, o que lhe proporcionou condições de continuar existindo como entidade política com grande autonomia e influência sobre a comunidade internacional, apesar da crise econômica que se abatia sobre o país. **As Forças Armadas são um importante vetor do desenvolvimento industrial.** A guerra moderna é demandante de meios tecnológicos excepcionais, em uma escala de itens tão ampla que só as grandes potências conseguem ter acesso.

No entanto, potências regionais e mesmo países autônomos tiveram conquistas significativas no campo da produção de material de defesa, e mesmo no campo da inovação tecnológica. O Brasil, a África do Sul, a Índia e, em menor escala, a Argentina conseguiram montar parques industriais de defesa significativos com grande esforço para o preenchimento de lacunas tecnológicas.

A indústria da defesa envolve tecnologias duais, aquelas que servem tanto para uso militar como para uso civil, e demanda o desenvolvimento de outras indústrias, como a indústria química, a siderurgia, a eletrônica e a indústria de motores. Por isso, a evolução da indústria bélica nunca acontece apartada da sociedade e acaba por promover melhorias em toda a cadeia produtiva industrial.

Como já comentamos antes, os militares patriotas foram parte altamente interessada, em décadas passadas, no desenvolvimento industrial brasileiro, provavelmente por perceberem os impactos que o desenvolvimento da tecnologia militar tem sobre a autonomia nacional.

Diferentemente da Argentina, que buscou a autossuficiência plena, com uma produção em escala reduzida, o que demandava um esforço quase artesanal na produção de equipamentos de defesa, o Brasil procurou produzir armas para o mercado internacional. Tentava preencher nichos nos quais a indústria de defesa dos países de capitalismo central não tinha interesse, ou não estava atenta aos potenciais de mercados específicos, como aqueles dos blindados sobre rodas, que eram nas décadas de 1960 e 1970 uma especialidade soviética, e aviões de treinamento.

Foi produzindo armas para esses nichos específicos que o Brasil conseguiu impulsionar suas exportações e transformar-se em um grande fornecedor de armas para o Terceiro Mundo, exportando para a África, o Oriente Médio e praticamente todos os países da América do Sul. Nesse período, empresas nacionais produziram sucessos de vendas, como os carros de combate sobre rodas fabricados pela ENGESA — o **EE-9 Cascavel** e o **EE-11 Urutu**, o veículo lançador de foguetes **ASTROS – II**, fabricado pela Avibrás, além de uma gama de aviões produzidos pela Embraer, como o **EMB-110 Bandeirante,** o **EMB-326 Xavante** e, mais tarde, o **EMB-312 Tucano.**

Todos estes foram sucesso de vendas, tanto para as Forças Armadas nacionais como para de países como o Iraque, na época em guerra com o Irã (1980-1988). O caso do **Tucano** foi emblemático, porque ele foi adotado pela academia de formação de oficiais da Royal Air Force (RAF) e deu origem ao **EMB–314 Super Tucano,** que poderia ser usado em missões de ataque leve, chegando a ser cogitado como avião da USAF já no século XXI.

O sucesso de vendas permitiu à indústria bélica nacional "alçar voos mais altos" no começo dos anos da década de 1980, com projetos mais sofisticados. O firme apoio governamental, deu ao país condições de investir em equipamentos como o míssil **ar-ar MAA-1 Piranha**, o **MBT** (*main battle tank*) **EE-T1 Osório**, o já citado carro de combate médio **MB3 Tamoyo** e uma sequência de carros blindados leves, como o **XMP1-SL Charrua**, o **EE-T4 Ogum** e o **EE-18 Sucuri II**. Essa nova geração de armas, além de mais evoluída do ponto de vista tecnológico, era compartilhada por um número ainda maior de empresas nacionais, como a Motopeças S.A., a Bernardini, entre outras. O sucesso desses projetos foi aos poucos interrompido, não apenas devido à crise econômica internacional, como também pelo grande equívoco da imposição de fortes restrições às compras governamentais brasileiras[12].

A indústria de defesa do Brasil conseguiu ganhar o mercado internacional, conquista para poucos. O esforço brasileiro, com apoio do Estado, especialmente nas décadas de 1960 e 1970, repercutiu também em uma melhoria significativa na produção industrial brasileira.

A indústria militar foi retomada na década de 2000, com o governo Lula, mas agora em moldes mais dependentes, com a participação de indústrias transnacionais como a Saab, a Iveco e a Krauss-Maffei-Wegmann. Isso foi necessário devido ao processo de desindustrialização da economia brasileira, bem como ao atraso tecnológico agravado pelo abandono que o setor de defesa sofreu por 20 anos.

É importante a retomada do parque industrial de defesa com bases autóctones, o que, em parte, começou a ser feito com a fundação da Odebrecht Defense.

---

[12] Um dos poucos projetos militares da década de 1980 que vingaram foi o avião de ataque da Embraer AMX (denominado na FAB de A1). Apesar de não ter sido um sucesso de vendas, o AMX é considerado um bom avião de ataque, equipando também a Força Aérea italiana. Um dos motivos de o projeto não ter sido "engavetado" na década de 1980 reside no fato de ele ter sido feito em parceria com empresas aeronáuticas italianas, o que acarretava compromissos internacionais de vulto.

Eliseu Gabriel • Marcos Fávaro

A INDÚSTRIA BRASILEIRA DE BLINDADOS

A principal empresa de produção de blindados no Brasil foi a ENGESA – Engenheiros Especializados S.A., que, a partir da década de 1970, fez sucesso com as exportações dos blindados sobre rodas EE-9 Cascavel e EE-11 Urutu, tornando-se a principal produtora de blindados sobre rodas do Ocidente. Nas fotos, temos dois projetos icônicos da ENGESA. O primeiro é o carro principal de combate EE-T1 Osório, feito sob encomenda para o Exército saudita. O EE-T1 venceu a concorrência contra seus equivalentes dos EUA, Reino Unido e França, porém não foi adquirido pela Arábia Saudita, dada a pressão e subornos feitos por empresas dos EUA. A perda do cliente saudita foi um dos motivos da falência da ENGESA. Abaixo vê-se o protótipo do EE-18 Sucuri II, um caça-tanques sobre rodas que, junto com as novas versões do Urutu e do Cascavel, iria inovar o emprego desse tipo de veículos. O Exército brasileiro foi o primeiro a conceber a possibilidade de equipar grandes unidades exclusivamente com carros de combate sobre rodas. Tal ideia acabou sendo copiada pelo Exército dos EUA a partir da invasão do Iraque de 2003.

Fonte da imagem: https://www.cibld.eb.mil.br/index.php/historico-2/blindados-eb-parte-3

A produção para a exportação não deve ser abandonada, não apenas por uma questão de escala econômica, mas também por ter sido, no passado, a exportação de equipamentos de defesa um importante vetor para a exportação de outros produtos industrializados brasileiros.

> **A FUNÇÃO DAS FORÇAS ARMADAS**
>
> As principais funções das Forças Armadas brasileiras são zelar pela integridade territorial e ajudar a projeção positiva e sustentada do Brasil no cenário internacional. É sob esses dois aspectos que deve ser formulado o conceito estratégico brasileiro e moldada a indústria nacional de defesa. As Forças Armadas não devem, em hipótese alguma, ser confundidas com uma força policial, uma vez que isso deturpa o seu desenvolvimento institucional e macula a missão crucial do poder militar, que é garantir a autonomia nacional.

NOVOS PROJETOS DA EMBRAER
A Embraer se consolida como a principal projetista e construtora de aviões da América Latina e uma das principais do mundo. A foto ilustra o principal projeto militar da empresa, levado à frente em parceria com a empresa sueca Saab. O Gripen NG é a nova versão do avião de combate sueco concebido na década de 1980. A nova geração do Gripen incorpora recursos de guerra eletrônica que tendem a dar consistência à autonomia do Brasil. Na FAB, a aeronave começou a ser incorporada com o nome de "F-39".

Fonte: https://www.fab.mil.br/noticias/tag/F-39

6.5 A indústria para a saúde

Podemos dividir a indústria para a saúde em duas modalidades: a farmacêutica e a de equipamentos médico-hospitalares.

A indústria farmacêutica

O Brasil é o sétimo maior mercado do mundo para a indústria farmacêutica[13]. Contraditoriamente, a maior parte dos remédios hoje consumidos no Brasil são produzidos com tecnologia importada ou diretamente importados.

O tamanho do mercado brasileiro justifica a retomada da importante indústria farmacêutica nacional que já tivemos. Podemos aproveitar a escala do mercado brasileiro, a capacidade comprovada dos nossos técnicos e cientistas, além das riquezas biológicas e minerais que o país possui.

Esse é um intento nobre, uma vez que ele almeja não apenas a prosperidade industrial e o aumento da autonomia do país nesse setor, como também busca o barateamento dos medicamentos para a população brasileira, o que também é um jeito de fazer política social.

Além disso, a retomada de desenvolvimento de uma expressiva indústria farmacêutica nacional reduz a dependência tecnológica do Brasil em relação ao mercado internacional e ajuda a equilibrar a balança comercial brasileira.

Assim, como já acontece com a indústria de defesa, a produção brasileira na área da saúde pode ser ampliada, incrementando as exportações a países que já são consumidores de produtos brasileiros industrializados. Inclui-se aí os insumos farmacêuticos ativos, os IFA, que são as substâncias ativas, a base farmacológica de vacinas e de outros medicamentos.

Cumpre lembrar que o Brasil já produziu boa parte desses insumos até meados da década de 1990, quando o governo federal abriu mão dessa produção para "economizar", tornando o país vulnerável.

Para o desenvolvimento da indústria farmacêutica, o país precisa voltar a investir mais em pesquisa, com forte apoio ao trabalho de técnicos e cientistas. Precisa, também, fomentar a indústria propriamente dita, atraindo os empresários interessados e aptos para a área.

---

[13] Associação da Indústria Farmacêutica de Pesquisa (Interfarma). *Guia 2019, Interfarma*. São Paulo, 2018.

Uma instituição fundamental demandante da implantação de uma indústria farmacêutica nacional é o próprio Sistema Único de Saúde (SUS), elogiado em todo o mundo. Recentemente, apesar de suas limitações financeiras, mostrou seu importante papel na crise da COVID-19.

A indústria de materiais hospitalares

Junto com a indústria farmacêutica, a indústria de equipamentos e materiais médico-hospitalares e odontológicos (EMHO) forma o complexo industrial de saúde (CIS). Não é necessário dizer que tal setor da economia, pela sua alta sofisticação e importância social, serviria também como uma atividade indutora do desenvolvimento.

A indústria brasileira tem uma produção significativa no setor, mas essa produção se limita a equipamentos de baixa e média tecnologia. A crise sanitária da COVID-19 escancarou esse problema. Mesmo itens relativamente simples, como respiradores, precisaram ser importados.

A pandemia da COVID-19 nos ensina que a autossuficiência na produção de insumos hospitalares é uma necessidade prática para a gestão de crises, sejam elas desencadeadas por pandemias ou por desastres ambientais, promovidas ou não pela ação humana na natureza.

Tal segmento industrial fornece desde insumos básicos, como seringas, máscaras e luvas, até equipamentos de radiologia, equipamentos eletromédicos, implantes e itens pouco lembrados pelo público não especializado, como os necessários à hotelaria hospitalar e aos laboratórios.

É necessário que haja uma política pública que dirija esforços para o fomento dessa área, no sentido de alcançar a autonomia na produção de insumos críticos e reduzir os preços dos equipamentos mais complexos, para que não faltem em momento algum ao país.

Linhas de ação de uma política de Estado para a promoção e o desenvolvimento do setor de EMHO no Brasil:

- **Esforço em pesquisa e formação humana**: o Brasil conta com uma respeitável rede de universidades e agências de fomento, como a CAPES (Coordenação de Aperfeiçoamento de Pessoal de Nível

Superior) e o CNPQ – (Conselho Nacional de Desenvolvimento Científico e Tecnológico), que têm e terão uma importância fundamental nesse desenvolvimento. Devem-se criar fomentos especiais para engenheiros, farmacêuticos, enfermeiros, médicos e fisioterapeutas que queiram desenvolver suas pesquisas nesta área, com planos de carreira que garantam a continuidade dos estudos e o desenvolvimento da pesquisa e extensão.

Neste particular, a pesquisa é o elo mais importante da cadeia, e é em apoio a ela que deve acontecer o empenho governamental para a fundação de novos cursos superiores de qualidade e laboratórios especializados.

- **Esforço industrial**: criação de indústrias com controle público, com a finalidade de preencher lacunas no fornecimento de insumos fundamentais, até agora produzidos e controlados principalmente por países mais ricos. Outro objetivo importante vai no sentido de dar mais oportunidades de trabalho a novos talentos formados nas universidades e institutos de pesquisa.

- **Política adequada de patentes**: desburocratização do processo de obtenção e valorização de patentes, equiparando sua importância com artigos científicos publicados por periódicos de renome no processo de ascensão da carreira do pesquisador.

- **Compras governamentais**: direcionadas, com prioridade, a compras pelo Sistema Único de Saúde de materiais produzidos no Brasil.

QUEM MAIS PRODUZ EQUIPAMENTOS MÉDICO-HOSPITALARES?

A maior parte desses equipamentos é produzida nos EUA, que domina 40,7% do material hospitalar consumido no mundo. O segundo lugar fica com o Japão, que produz 10,9%. O Brasil fica em nono na lista, com 1,4% do mercado mundial. Nós temos condições de crescer muito nesse nicho industrial.
Fonte: BNDES.

6.6 A grande indústria da construção civil

Este livro estaria incompleto se não dedicássemos algumas palavras à indústria de construção civil. Isso porque ela tem sido fundamental para o desenvolvimento do Brasil.

Um plano de desenvolvimento nacional deve preocupar-se em ter a construção civil como um eixo prioritário para o crescimento econômico e o fortalecimento do mercado consumidor interno. Uma política pública para a indústria de construção civil deve estar sustentada em três pontos:

- **Por ser estritamente necessária, a indústria de construção civil deve ser bastante apoiada para evitar pressões inflacionárias.** É necessário que exista uma oferta generosa de itens básicos como cimento, ferro, cerâmica, tubos etc. Sua escassez trava o desenvolvimento nacional e pode promover a inflação de demanda.

  Para o país se desenvolver, tais itens devem ter custo viável em todos os rincões do Brasil, o que aponta para um desafio que é industrial e também logístico. Considerando esse ponto, faz-se necessário o estímulo governamental para que a indústria de construção civil se desenvolva, de preferência no setor privado, mas sem descartar de pronto a atuação eventual do setor público.

- **Por ser densa em sistemas construtivos inovadores**, a indústria de construção civil pode ser uma plataforma de desenvolvimento tecnológico, tanto no desenvolvimento de novos materiais econômica ou ambientalmente mais favoráveis como em novos métodos de produção das obras.

- **O imperativo da busca do desenvolvimento de forma sustentável**, somado à grande demanda da nação brasileira por moradia e obras de infraestrutura, pode tornar o Brasil uma referência para o mundo se conseguirmos chegar a soluções inteligentes e produtivas nessa questão tão vital.

- **Por ainda ser um setor intensivo em mão de obra**, a indústria de construção civil pode ajudar muito a solucionar o problema do desemprego. Historicamente, as grandes obras de infraestrutura foram responsáveis pelo emprego de um grande número de trabalhadores, com graus variados de instrução e especialização. Fora isso, em nossos dias, a indústria de construção civil possui uma característica especial, dado que ela constitui uma cadeia produtiva que se integra direta ou indiretamente a várias outras cadeias produtivas.

6.7 A indústria siderúrgica e metalúrgica

Quem estuda a história sabe que o domínio da siderurgia e da metalurgia foi, e é, um item fundamental para o desenvolvimento civilizacional. Mais do que uma atividade econômica, esses dois setores são densos em ciência e sua evolução não cessou neste começo de século. Todos sabem que o desenvolvimento brasileiro do século XX seria impossível não fosse a implantação da grande siderurgia nacional pelo governo federal.

Continuar é fundamental: devemos incentivar os investimentos para a produção e exportação de aços de qualidade, além da exportação do minério de ferro bruto, como é feito hoje.

No mesmo sentido, é importante avaliar, pensando em nossa autonomia como nação, o interesse internacional pelas riquezas minerais do Brasil, especialmente por nióbio e metais de terras-raras, utilizados em produtos de tecnologia avançadíssima.

Da maior importância é o investimento em pesquisa e desenvolvimento de novas ligas metálicas, o que fará a indústria nacional ganhar em sofisticação.

Por ser estratégica para a nação e baseada em recursos não renováveis, a siderurgia precisa ter também participação do Estado. Da mesma forma, este deve atuar com novas técnicas de mapeamento e aproveitamento do minério disponível mediante a exploração racional pela iniciativa privada.

6.8 A indústria da energia

A energia é uma questão vital para as sociedades contemporâneas, chegando a ser considerada assunto de segurança nacional em vários países.

Energia elétrica

O Brasil é o país que tem a maior porcentagem de produção de energia elétrica a partir de fontes renováveis de energia. Estas poluem pouco o meio ambiente e são chamadas de "energias limpas". A energia das águas em movimento, aproveitada nas usinas hidroelétricas, é responsável pela produção de dois terços da energia elétrica consumida no Brasil.

OS DIAGRAMAS MOSTRAM UMA COMPARAÇÃO ENTRE A MATRIZ ELÉTRICA DO MUNDO E A DO BRASIL

Representam, em porcentagem, a origem da energia que é transformada em elétrica no mundo e no Brasil.
No mundo, cerca de 65% da energia transformada em elétrica vem de combustíveis fosseis: Carvão, Gás Natural e Petróleo. São fontes de energia não renováveis.
No Brasil, só as usinas hidroelétricas já são responsáveiws por 65% da transformação em energia elétrica. É uma fonte de energia renovável.

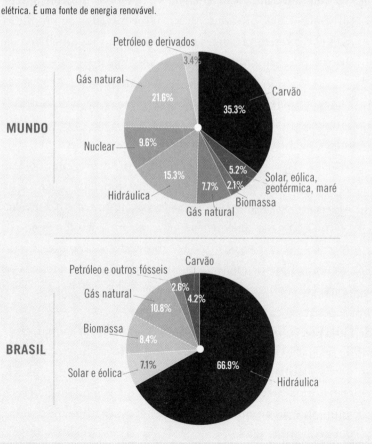

Fonte: Adaptado da Empresa de Pesquisa Energética-EPE (2018). (Obviamente, tratam-se de porcentagens aproximadas)

> **ENERGIA SOLAR NO BRASIL**
>
> Para o Operador Nacional do Sistema Elétrico, em 2020, a energia eólica já representava 10,7% da matriz elétrica brasileira, e havia a expectativa de que chegaria ao fim do ano de 2022 atingindo 11,2%. Também para ele, a energia solar representava 1,9% da matriz elétrica do país, podendo atingir 2,6% até o fim de 2022.

- **Biomassa**: O Brasil tem um histórico de sucesso na produção dessa modalidade de energia, dado o sucesso do *Proálcool*, criado na década de 1970. Não faltam ao Brasil luz solar e água, o que torna a economia brasileira vocacionada também para a produção dessa modalidade de energia. As pesquisas no setor devem ser continuadas, buscando desenvolver métodos de produção mais eficientes, novas fontes para biocombustíveis e melhoria da sustentabilidade ambiental do empreendimento.

- **Energia nuclear**: Muitas nações que não têm, como o Brasil, a mesma prodigalidade de recursos naturais para a obtenção de energia elétrica investiram em energia nuclear para esse fim, com resultados respeitáveis. O próprio Brasil tem um programa nuclear que não pode ser ignorado, dados os investimentos já feitos e os acúmulos tecnológicos oriundos de sua implantação. Controlar a tecnologia dessa fonte de energia quase inesgotável é essencial. Porém, é preciso avançar muito em estudos com o objetivo de garantir segurança ambiental na sua utilização para produção de energia elétrica.

- **Energia eólica e energia solar:** As condições climáticas e de insolação do vasto território brasileiro são bastante favoráveis à utilização de outras fontes de energia limpa para a transformação em energia elétrica, as quais tendem a crescer muito: a eólica (energia do vento) e, especialmente, a solar por sua versatilidade.

COMPARAÇÃO APROXIMADA DA MATRIZ ENERGÉTICA DO MUNDO E A DO BRASIL

Aqui é mostrada toda a energia consumida para os vários fins, não apenas a que é transformada em elétrica.

MATRIZ ENERGÉTICA DO MUNDO (2019)

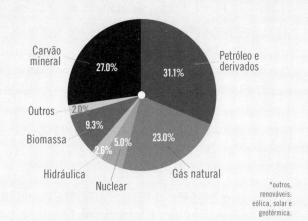

*outros, renováveis: eólica, solar e geotérmica.

MATRIZ ENERGÉTICA DO MUNDO (2020)

*outras renováveis: eólica, solar.

Fonte: epe.gov.br

Obs: Enquanto no Brasil 46% da energia consumida vem de fontes renováveis, no mundo, em média, isso representa apenas 14%.

6.9 A indústria do refino do petróleo

Três considerações devem ser feitas sobre o petróleo e o gás natural:

1) Nunca a humanidade possuiu uma fonte de energia tão versátil como o petróleo: produtivo, eficaz e de transporte relativamente fácil.

2) Assim como em outras nações, a nacionalização desses bens e a estatização de sua produção foi um fator crucial para alavancar o desenvolvimento brasileiro. A Petrobras, a mais importante empresa pública brasileira, foi decisiva para o Brasil alcançar importantes níveis de desenvolvimento econômico e de conhecimento tecnológico.

3) Historicamente no mundo, os territórios produtores de petróleo têm sido alvo da cobiça internacional. Conflitos armados e crises políticas afloraram, muitas vezes de maneira induzida pelas potências centrais, por causa dessa importante fonte de energia. Por esse motivo, é aconselhável que países produtores de petróleo desenvolvam boas estruturas políticas e bons meios de defesa.

Petrobras e Operação Lava Jato

A maneira como a chamada *Operação Lava Jato* agiu contra a Petrobras trouxe uma exagerada carga destrutiva contra essa empresa, a quem o Brasil tanto deve. Deveria ter se concentrado somente em punir eventuais malfeitos.

Intencionalmente ou não, a ação da Operação Lava Jato tem contribuído para dar voz aos que tentam achar alguma justificativa para a privatização de suas subsidiárias e dela própria.

Empresas petroleiras são instituições verticalizadas que dominam toda a cadeia de produção, refino e distribuição do combustível, além de investimentos em fontes de energia renováveis. Hoje, uma atividade muito lucrativa é a venda dos produtos obtidos com o refino do petróleo.

É importante resgatar a grandeza da Petrobras, para que ela continue cumprindo sua missão histórica de regulação e de garantia da segurança energética para a economia brasileira.

O **Pré-Sal** foi descoberto e tornou-se viável graças à Petrobras, que desenvolveu, com o apoio de universidades públicas brasileiras, a tecnologia que o mundo não conhecia. Viabilizou economicamente a obtenção do petróleo em grandes profundidades do mar, as chamadas "águas ultraprofundas", que chegam a até 7 mil metros.

Graças isso, o Brasil está, agora, entre os países com maiores reservas de petróleo do planeta. Além disso, a Petrobras tem colocado o país como um dos maiores produtores mundiais, extraindo cerca de 3,5 milhões de barris de petróleo por dia.

Infelizmente, o atual açodamento em privatizar está negligenciando a modernização e a ampliação das refinarias.

TAXAR A EXPORTAÇÃO DE PETRÓLEO BRUTO

O Brasil já é um grande exportador de petróleo bruto, que, inacreditavelmente, não é taxado. Urge criar um imposto sobre a exportação de petróleo bruto, como fazem muitos países exportadores. Esse imposto poderia ser usado na redução do preço do combustível consumido aqui. Esses valores poderiam ser repassados aos estados da federação que, por outro lado, poderiam zerar o ICMS.

6.10 A indústria de alimentos

Como vimos, a indústria alimentícia tem um valor histórico para o Brasil, uma vez que foi ela, junto com a indústria têxtil, que tornou possível a fase inicial do projeto industrial brasileiro, sob a batuta orientadora do governo de Getúlio Vargas.

Até hoje, o Brasil possui uma grande indústria alimentícia, patrimônio que, por uma série de motivos, deve ser preservado e evoluir. Dentre esses motivos, destacamos:

- de setor privado por excelência, a indústria alimentícia é um dos bons pontos de sustentação de empresários que encontraram nessa atividade mercado garantido e espaço para ampliação e inovação;

- por ser ampla, versátil e de implantação menos sofisticada, a indústria alimentícia pode servir de "ponta de lança" para a abertura de novos polos industriais no país;

- pelo mesmo motivo, ela pode atrair empresários e trabalhadores do setor primário e terciário para recompor a comunidade industrial brasileira;

- a indústria alimentícia também tem a missão estratégica de agregar valor aos produtos vindos do setor primário;

- pela grande potencialidade agropastoril do Brasil, ela pode ampliar muito a pauta de exportações brasileiras.

A indústria alimentícia tem também um compromisso social elevado, uma vez que as suas atividades estão ligadas à segurança alimentar, sanitária e ambiental. Por esse motivo, o Estado deve se fazer presente com ampla fiscalização e controle, além de apoio.

6.11 A indústria dos transportes

A importância da indústria dos transportes dispensa apresentações, uma vez que praticamente todas as mercadorias são, de alguma forma, transportadas.

Não precisa ser um especialista em logística para saber que os transportes no Brasil têm graves problemas: malha ferroviária limitada, precariedade da maioria das estradas de rodagem, portos e aeroportos carentes de maiores investimentos para ampliação e modernização. Além dos problemas que causam, também encarecem nossos produtos de exportação.

A retomada robusta de obras públicas de infraestrutura para os transportes será um grande impulsionador do crescimento econômico, além de destravar setores da economia limitados por falta de alternativas na sua logística.

6.12 A indústria de semicondutores

Nos últimos anos, um insumo se tornou imprescindível para o desenvolvimento: os semicondutores. Eles serviram de âncora para a terceira e quarta revoluções industriais. São materiais compostos principalmente dos elementos químicos silício e germânio.

Como o próprio nome sugere, semicondutores são materiais de condução elétrica intermediária que otimizam, de maneira exponencial, o processamento de dados e a sua transmissão, sendo por isso indispensáveis para a confecção de *chips* e outros artefatos eletrônicos. Por serem relativamente baratos, tais componentes foram responsáveis pela difusão e aperfeiçoamento da informática e das telecomunicações nas últimas décadas.

A tecnologia envolvida na manipulação dos semicondutores não é coisa trivial, sendo restrito o número de nações que dominam essa tecnologia. Por ser um insumo essencial, a produção de semicondutores é fator de garantia da autonomia nacional, especialmente em momentos como o da crise internacional vivida em 2020 e 2021, ocasionada pela pandemia de COVID-19.

No Brasil os *chips*, fabricados com os semicondutores, eram produzidos pela CEITEC, empresa estatal especializada em circuitos integrados. Usando como desculpa a velha ladainha do "corte de gastos", o governo Bolsonaro resolveu fechar a empresa em março de 2021. O país sofreu muito com a falta desse produto vital para a indústria.

Um setor atingido por esse problema foi a indústria automobilística brasileira, que deixou de fabricar milhares de veículos. Os automóveis de hoje têm em sua arquitetura grande quantidade de semicondutores. Demandam também esse insumo cartões de crédito, *smartphones*, televisores e muitos outros produtos.

No século XX, o governo brasileiro entendeu a importância do petróleo e criou a Petrobras. Esforço parecido deve ser feito no século XXI, com a necessária volta da prdução local de semicondutores.

6.13 A indústria aeroespacial

A indústria aeroespacial representa não apenas um símbolo de desenvolvimento de uma sociedade, como também uma conquista importante para o domínio de sua própria infraestrutura.

Do ponto de vista comercial, é caro e inconveniente para o país alugar satélites; do ponto de vista militar, a falta de satélites nacionais representa perigosa vulnerabilidade.

A partir da década de 1980, a economia mundial passou a depender muito das telecomunicações. Empresas como bancos precisam muito desse tipo de equipagem, e, conforme as empresas privadas evoluem para os "padrões 4.0", essa dependência se torna maior.

Ninguém pode duvidar, também, dos custos militares que a dependência no setor aeroespacial acarreta. Imagens de satélite de caráter estratégico podem cair nas mãos de países estrangeiros e serem comercializadas, o que pode acontecer também com bancos de dados e com todo tipo de comunicação que depende de satélites.

A falta de domínio da tecnologia GPS e análogas tira do país autonomia para o desenvolvimento de sistemas de comunicações e com defesa mais complexos.

Atualmente, o Brasil tem capacidade para montar satélites, mas não tem condições de colocá-los em órbita com foguetes próprios.

Curiosamente, o programa espacial brasileiro nasceu em 1956, e até os anos 1990 envolveu também um programa de lançamento próprio, que colapsou devido a um acidente de motivações duvidosas e consequências trágicas em 2003. Tal acidente ficou conhecido como a "Tragédia de Alcântara", que destruiu a base de lançamento e matou, desgraçadamente, a equipe de cientistas que trabalhava no programa. Hoje, o Brasil ainda depende de parcerias com a China e com a Índia para lançar seus satélites.

> **Há 15 anos, o Brasil sofria seu pior acidente em exploração espacial**[14]
>
> **Disponível em:** https://www.paulogala.com.br/nosso-satelite-amazonia-1-voa-por-milagre/. Acesso: 27 jan. 2022.
>
> Sabemos que o Brasil, especialmente quando comparado aos Estados Unidos e à antiga União Soviética, está anos-luz distante de ter um programa de exploração espacial profícuo. Poucas vezes nosso país se aventurou a desenvolver tecnologia espacial de ponta ou mesmo tentar lançar dispositivos para o espaço, obviamente por falta de interesse e recursos, e não de capacidade humana. Apesar disso, o Brasil iniciou um programa espacial moderno em 1956, dois anos antes da fundação da NASA, com a criação de uma base de rastreio em Fernando de Noronha que serviria para "vigiar" os foguetes que decolavam da estação no Cabo Canaveral, de onde a grande maioria dos foguetes da agência espacial norte-americana vieram a decolar e ainda o fazem até hoje.

---

[14] Disponível em: https://www.tecmundo.com.br/ciencia/133484-ha-15-anos-brasil-sofria-pior-acidente-exploracao-espacial.htm Acesso: 27 jan. 2022.

O programa espacial brasileiro teve altos (não muito altos) e baixos durante as décadas de 1960, 1970 e 1980, mas entrou no decênio de 1990 com empolgação: a AEB – Agência Espacial Brasileira, começou a realizar diversas decolagens a partir do Centro de Lançamento de Alcântara, a 32 quilômetros de São Luís, capital do estado do Maranhão. Sua latitude, por ser próxima à Linha do Equador, entre outras vantagens, diminui muito o consumo de combustível das naves que partem de lá.

O Centro de Lançamento de Alcântara foi inaugurado em 1º de março de 1983, e serviu como substituto para o Centro de Lançamento da Barreira do Inferno, no Rio Grande do Norte. Após quase 30 decolagens feitas da base de lançamento de Alcântara, um terrível acidente com o foguete VLS-1 XV-03 da missão SATEC deixou 21 mortos, todos funcionários do Centro Técnico Espacial – CTA, de São José dos Campos, no estado de São Paulo.

Um incêndio seguido por uma explosão foi causado pela ignição acidental de um dos quatro motores do foguete brasileiro, conforme relatou o ministro da Defesa na época, José Viegas. O acidente aconteceu três dias antes da data prevista para a decolagem da missão, 22 de agosto de 2003, e pôde ser rapidamente visto por quatro câmeras que monitoravam cada um dos andares da base de lançamento.

O fogo se alastrou a partir da base do veículo e, em segundos, tomou todo o foguete, chegando até sua extremidade superior onde estava o satélite que seria colocado em órbita. Câmeras externas também mostram a tragédia: é possível ver onde o veículo estava armazenado pouco depois das 13h26.

O objetivo da missão – também chamada de Operação São Luís – era colocar em órbita circular equatorial os satélites meteorológicos SATEC, do INPE, e o UNOSAT, da Universidade do Norte do Paraná.

[...]

Muitas investigações foram feitas no local do acidente para determinar as causas do incêndio e encontrar culpados pelas mortes. As famílias dos técnicos até hoje lamentam o ocorrido e sentem o esquecimento público do caso e a negligência do governo no que diz respeito ao amparo que deveriam receber após a perda de entes queridos.

O acidente abalou profundamente o país, em especial a comunidade científica. Pela estranheza do fato, chegou-se a cogitar a possibilidade de sabotagem, especialmente por parte dos Estados Unidos. Teriam provocado o acidente para evitar que outros países entrassem no ramo da exploração espacial – área que os norte-americanos têm dominado após o fim da União Soviética.

No século XXI, o Centro de Lançamento de Alcântara continuou funcionando, tendo, em 2010, colocado em órbita com sucesso um foguete de médio porte, o VSB-30, que realizou testes em microgravidade e conseguiu retornar a salvo para a Terra. Da mesma base também saiu o primeiro foguete de propulsão líquida do Brasil, em 2014.

Nosso satelite Amazônia-1 voa por milagre!

28/02/2021 Paulo Gala
*escrito com Luís Felipe Giesteira

O satélite Amazônia 1 é indiscutivelmente grande feito do PEB – Programa Espacial Brasileiro. Pesa 630 kg e carrega equipamentos relativamente avançados de fabricação nacional, num projeto 100% brasileiro. Destacam-se a câmera WFI de alta resolução (desenvolvida pela empresa de alta tecnologia AKAER, a mesma que já fabrica partes dos caças GRIPEN-BR F-39), o sistema de estabilização e a plataforma multimissão – esta é uma inovação genuinamente nacional.

O satélite tem como função principal a observação do território nacional, servindo como ferramenta de combate ao desmatamento ilegal, monitoramento beira-mar, dentre outras. Sua concepção e construção começou em 2009, há 13 anos. O satélite foi um marco histórico no âmbito nacional, apesar de não ser o primeiro brasileiro, é o primeiro projetado, produzido e testado totalmente aqui com recursos e técnicos brasileiros.

Representando um salto de tecnologia nacional, com inovações, originalidade e ampliando as perspectivas para o programa espacial.

Como não temos o foguete para lançá-lo, fomos pedir ajuda à Índia. Nos anos 1980 estávamos no caminho de produzir foguetes, tão próximos quanto a Índia, mas nosso programa espacial brasileiro – PEB caiu em desgraça na visão dos governos.

Na década de 1980 e 1990, o PEB foi esculhambado por seguidos governos.

Em 2019, enquanto a Índia investia US$ 1,9 bi no seu programa espacial, o nosso recebeu US$ 20 milhões (piada), foi mais um "milagre do Amazônia 1", dos cientistas e técnicos brasileiros. O Brasil tem dois centros de lançamento, o de Alcântara e o de Barreira do Inferno. Temos também uma estrutura de testes para foguetes menores próximo ao CTA/SP. Nosso maior foguete tem capacidade muito menor que esse dos indianos, não teria capacidade de colocar nosso satélite em órbita. E a base de Alcântara está quase sucateada, precisa de bastante dinheiro para que possa voltar a fazer lançamentos.

Pelas razões apresentadas, é imprescindível a retomada do esforço aeroespacial brasileiro, o que deve acontecer obedecendo as seguintes orientações:

- Um esforço qualitativo, que tem o Estado investidor e coordenador, visando atender à demanda pública e privada. Tal esforço deve catalisar as melhores energias da nação, com a atração das melhores cabeças para o setor e reconhecimento dos profissionais.

- Um esforço quantitativo para o rompimento da cultura de "microprojetos". A nação brasileira deve possuir seus próprios planos nessa área. As empresas nacionais devem ser estimuladas a se alinhar ao esforço de conseguir a autonomia do Brasil nessa área.

Diferentemente dos anos de 1950, quando a indústria aeroespacial se reduzia a esforços experimentais muito caros, hoje ela ocupa o dia a dia do indivíduo e das empresas públicas e privadas. Promover o desenvolvimento deste setor é um ponto essencial para a sobrevivência da nação.

7. Terciário, a importância do setor de serviços

O setor de serviços, classificado como terciário, representa um enorme percentual na formação do PIB, no qual a principal parte é o comércio.

No entanto, ele está atrelado ao desempenho da atividade agropastoril (setor primário) e da atividade industrial (setor secundário)

Os números atestam a importância do setor de serviços para a manutenção da economia brasileira.

A tendência da produção industrial é de crescente automação de processos e também de incorporação de novos serviços aos produtos industriais. Assim, é possível, com um processo industrial vigoroso, a criação de mais e mais oportunidades de trabalho para aqueles que procuram e para os que perderam seus empregos.

Apesar de reconhecer a importância do setor de serviços para a manutenção da economia atual, devemos alertar para as vulnerabilidades que são sua característica no Brasil. Por isso, é necessário mudanças.

Um bom desempenho do setor terciário é, em boa medida, uma consequência da prosperidade do setor primário (agricultura) e, principalmente, do setor secundário (a indústria). A partir do momento em que os setores primário e secundário produzirem quantidade, qualidade e diversidade de produtos, o terciário irá se desenvolver, em uma enorme gama de atividades que vão de restaurantes, saúde, cuidados pessoais, turismo, lazer, até empresas de comércio internacional.

No Brasil, na medida em que o setor secundário está se retraindo, eliminando empregos diretos, seja pelo processo de desindustrialização, seja pelo processo da automação fabril, vemos que o setor primário não consegue ancorar sozinho, com estabilidade, o setor terciário.

A consequência é o agravamento da crise social, com a precarização e maior marginalização da população que busca trabalho.

O processo de digitalização pelo qual a economia passa tem consequências que precisam ser mais bem equacionadas. As compras pela internet, por exemplo, inibem a atividade do comércio convencional, promovendo desemprego e até crises imobiliárias.

Há muitos casos em que estabelecimentos comerciais encerram suas atividades diretas, físicas, para o público. Certamente, há a criação de novos nichos em que o trabalho humano é essencial, mas requer criatividade e qualificação.

Assim, o aparente crescimento relativo do setor terciário é uma consequência das transformações recentes da economia brasileira, marcada pelo decréscimo da participação da indústria no PIB. Agrava a crise a mecanização das atividades no campo e a pouca presença da agroindústria, o que diminui drasticamente a oferta de emprego e trabalho.

Por um lado, o crescimento do setor terciário é apenas aparente e possui vulnerabilidades que podem pôr a sociedade brasileira em xeque. Por outro lado, há fatores positivos no setor terciário: é dinâmico e fomenta a criatividade por meio do marketing, da negociação e da logística.

As atividades que são "puras" do setor terciário, como o turismo, devem ser incentivadas. Elas representam uma fonte de renda importante para o país e, principalmente, para muitos dos pequenos municípios brasileiros. Sua evolução sustentável será uma boa base para o desenvolvimento.

Existe um comércio internacional de serviços do qual o Brasil participa muito timidamente e que deve ser explorado, mas exige boa formação humana. É uma atividade que abre espaço para diferentes profissionais: engenheiros, médicos, advogados, administradores, economistas e muitos outros.

As atividades do setor terciário, vinculadas ao setor primário e secundário, irão deslanchar se os dirigentes da nação tiverem sensibilidade para o fato de que é preciso planejar o desenvolvimento do país, principalmente no setor secundário, a indústria.

Um grande ativo em potencial nação brasileira é sua imensa população. Porém, para que esse potencial se efetive, é necessário aumentar muito o investimento em educação pública de qualidade, ou seja, em educação integral.

8. Considerações finais

Uma das principais conclusões deste livro reside nos descaminhos tomados pelo Brasil com o fim do que foi chamado *nacional-desenvolvimentismo*.

Entre 1930 e 1985, o país foi conduzido tendo em tela o desenvolvimento econômico. A busca por uma robusta industrialização e integração territorial promoveu um movimento virtuoso que envolveu várias classes sociais e grupos políticos. Afirmamos que estas duas grandes atividades, a industrialização e a integração territorial, deram suporte a um *pacto social tácito* que permitiu ao país superar muitas de suas limitações herdadas do período colonial.

Com um pacto mais tácito do que formalizado, como afirmamos, mas sempre em torno de atividades produtivas, com contradições permanentes e regras de relacionamentos construídas a duras penas, o Brasil conseguiu uma prosperidade que beneficiou significativa parte da população. Alguns setores em maior, outros em menor grau.

A presença do poder público, em muitos momentos coordenando e estimulando a crescimento do país, fez com que houvesse uma significativa aproximação entre governos e sociedade.

O Brasil teve um crescimento notável no século XX. Em 1900, o país contava com 17 milhões de habitantes, chegando a 1999 com 170 milhões de habitantes. Os ganhos em termos de melhoria da ocupação territorial, cujo principal símbolo é a construção de Brasília, os ganhos com a fundação de universidades públicas e demais institutos de pesquisa são legados permanentes do período dos governos chamados de *desenvolvimentistas*.

As melhorias para a vida do trabalhador, tanto em termos de maior oferta e qualidade de empregos quanto de conquista de direitos, precisam ser retomadas. Certamente, com a devida consideração da atual conjuntura, é fundamental diminuir desigualdades sociais e culturais e incorporar grandes contingentes da população no mercado consumidor brasileiro.

O desenvolvimento econômico do país torna possível a melhoria do serviço público, seja em termos quantitativos ou qualitativos. Torna, também, disponíveis mais recursos para o poder público e facilita a implantação de infraestrutura e a formação de profissionais qualificados.

Principalmente a partir da década de 1990, o abandono do projeto desenvolvimentista repercutiu em uma série de rupturas que acabaram por paralisar boa parte da grande capacidade produtiva do país e fragmentar a sociedade brasileira.

Os dirigentes do Brasil acabaram contribuindo para que nosso país fosse dividido em um mosaico de individualismos, o que resultou na perda da visão de conjunto da nação. O resultado é o grave comprometimento das futuras gerações.

De suas leituras de Rousseau, Kenneth Waltz faz uma analogia que parece se ajustar perfeitamente ao caso do Brasil pós-desenvolvimentista:

> Suponha que cinco homens que adquiriram uma capacidade rudimentar de falar e de compreender uns aos outros se reúnam em um momento em que todos estão famintos. A fome de cada um será saciada por um quinto de um cervo, de modo que eles "concordam" em cooperar no projeto de apanhar um cervo em uma armadilha. Mas, do mesmo modo, a fome de cada um será satisfeita por um coelho, de modo que, como um coelho está ao alcance, um dos homens o apanha. O traidor obtém o meio de satisfazer a sua fome, mas, ao apanhar o coelho, permite que o cervo escape. Seu interesse imediato prevalece sobre a consideração pelos companheiros.

A analogia parece construtiva, e cabe perguntar: quem, na sociedade brasileira, seria o homem que deixou de caçar o cervo e abandonou os companheiros em troca de um coelho?

A nosso ver, e para usar a analogia citada, não tivemos um único caçador de coelhos, mas vários. Da mesma forma, no Brasil, há muito tempo não se consegue mais "caçar cervos", ou seja, não agimos coletivamente como um povo coeso.

Em uma avaliação sumária, deixamos de promover a solidariedade entre as gerações de brasileiros e só nos ocupamos em satisfazer o que o dia a dia nos impõe. Quer dizer, estamos sem projeto de nação e sem qualquer acordo entre os próprios brasileiros, sem pacto social algum.

Essa séria crise, que nos ameaça a todos, vem ocorrendo em vários flancos. Vejamos alguns:

- Em primeiro lugar, o setor público é levado a abandonar suas funções de planejamento e coordenação do desenvolvimento econômico do país. Isso obstrui o crescimento brasileiro, que perde coordenação e capacidade de realização, além de abrir as portas para a ampliação da financeirização da economia, concentração absurda de riqueza e deterioração do tecido social.

- Em segundo lugar, como consequência de diretrizes públicas, importantes empresários brasileiros abandonam o setor produtivo, especialmente a indústria, e preferem aplicar o dinheiro para especular no mercado financeiro. Ao tornar-se uma elite rentista, pouco produz, mal cria empregos e não traz inovações. Um verdadeiro divórcio com a nação.

- Em terceiro lugar, ao contrário de épocas anteriores, ocorre o afastamento das Forças Armadas como vetor de desenvolvimento econômico nacional.

- Por fim, como consequência, assistimos a um desencanto de boa parte da sociedade com a educação, em especial da juventude. Desencanto com a busca do conhecimento como meio de construção da nação e de ascensão social.

Os pontos apresentados acima descrevem processos que foram acelerados por fortes pressões externas sofridas pelo país em meados dos anos 1980. Estas ganharam contornos demolidores com a adesão cega do Brasil aos ditames do chamado *Consenso de Washington*, que vieram à luz no final do ano de 1989 e prevalecem até hoje.

Em paralelo à privatização das empresas brasileiras de caráter estratégico, cresceu fortemente a desnacionalização da economia. Até em setores menos sofisticados do comércio e serviços empresas brasileiras são substituídas pelas estrangeiras em farmácias, supermercados e até cursinhos preparatórios para vestibulares.

O Brasil dos últimos 30 anos perdeu muito de sua capacidade de organização e realização porque, hoje, é um *Estado de vontade fraca*.

Um Estado de vontade fraca é aquele que não consegue estabelecer consensos mínimos para a realização de seus projetos, não conta com capacidade de mobilização e não tem clareza sobre quais seriam os objetivos nacionais.

Temos o melhor exemplo de *Estado com vontade forte* no Brasil durante toda década de 1950, quando vivemos em plena democracia, apesar de ameaças golpistas que levaram Getúlio Vargas ao suicídio em 1954. Avalia-se que a comoção popular com essa atitude de Vargas foi o fator decisivo que impediu, por dez anos, a instalação da Ditadura, o que acabou acontecendo em 1964.

Naquela época, viveu-se uma época de ouro, o Brasil contou com uma geração de políticos qualificados e o processo decisório era relativamente bem conduzido por eleições livres. O governo JK foi muito competente no sentido de dar continuidade ao projeto de desenvolvimento varguista, uma vez que se tinha claro que os objetivos nacionais residiam na industrialização e na integração territorial, em apoio à agricultura.

A força de uma nação está na capacidade dos diversos grupos de trabalhar em torno de objetivos comuns e claros, bem como na sabedoria de criar oportunidades para todos. Fazer a justiça distributiva é fundamental para que não se causem distorções com sérias consequências sociais, como tem acontecido aqui no Brasil em boa parte de sua história, especialmente nos dias de hoje.

Reafirmamos que, nas últimas três décadas, o Estado brasileiro perdeu boa parte de seus instrumentos administrativos, o que culminou em uma crônica impossibilidade, por parte do setor público, de planejar e executar ações para o verdadeiro desenvolvimento da Nação.

Fundamental entender que o Brasil é uma nação tão grande em território e população que só se viabilizará efetivamente se almejar tornar-se uma potência mundial. Já estivemos nesse caminho, mas estamos voltando para trás.

Assim, é absolutamente essencial reorganizar as estruturas públicas de planejamento e controle em todas as instâncias dos poderes executivo, judiciário e legislativo.

QUE PAÍS É ESSE?

O mantra, a frase mágica, "cortar gastos" públicos em tudo, a qualquer custo, só compromete mais a vida presente e futura do povo brasileiro. Seriedade fiscal é necessária, mas é essencial haver recursos para o poder público ser capaz de dar conta de suas obrigações com a nação brasileira: cumprir e fazer cumprir as leis, proteger os cidadãos, contribuir decisivamente para desenvolver o país e criar oportunidades para todos.

Pelo que já deixamos escrito, fica claro que não propomos a estatização da economia. O que se propõe é aumentar a capacidade de o Estado contribuir de fato para o planejamento e a indução do desenvolvimento do país, tendo como pontos centrais o real crescimento econômico, a nossa soberania, a nossa autonomia e a melhoria das condições sociais e culturais da população.

Não custa repetir: um país como o Brasil, com um gigantesco território de 8,5 milhões km² e uma enorme população de cerca de 220 milhões de habitantes, só pode superar seu atraso em relação às principais economias do mundo e diminuir as enormes desigualdades sociais que impedem seu pleno desenvolvimento se assumir seu destino de potência mundial.

Para continuarmos existindo enquanto sociedade, com algum sonho de futuro promissor, evitando chegarmos à completa degradação como nação, é urgente reverter a acelerada desconstrução das estruturas que organizam os poderes públicos, ou seja, as instituições que sustentam o Estado Nacional, num ambiente democrático, ainda que não ideal.

Boa parte das forças políticas que controlam o poder no país defende prioritariamente interesses mais imediatos, principalmente ligados ao capital financeiro. Advogam o chamado Estado Mínimo, trabalhando consciente ou inconscientemente para a falência do Estado.

Com isso, estão sendo criadas as condições objetivas para milícias, crime organizado e outros grupos armados, que já controlam partes significativas de territórios em cidades brasileiras, ampliarem fortemente suas ações, tornando a vida insustentável.

É necessário ampliar os objetivos de política econômica, que devem ir além do necessário controle fiscal. Os recursos econômicos dos impostos precisam servir ao conjunto da nação. Quando olhamos para o destino dado ao dinheiro arrecadado em impostos pelo governo federal, que se repete por anos e anos, e trazemos o exemplo do ano de 2021, nos perguntamos, mais uma vez: **que país é esse?**

Por um **Brasil Unido** e Forte

Destino dado ao dinheiro público em 2021:

Orçamento Federal Executado
(pago) em 2021 = R$ 3,861 Trilhões

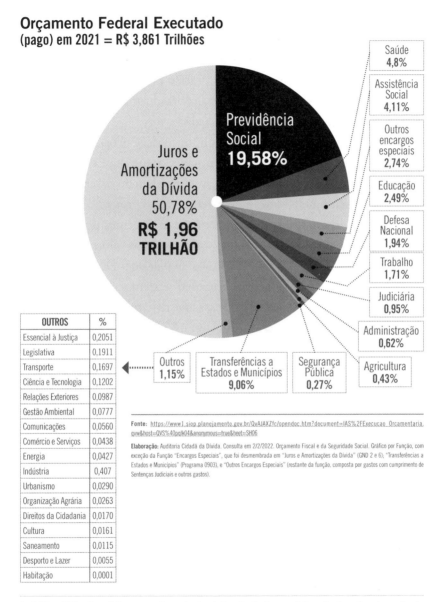

OUTROS	%
Essencial à Justiça	0,2051
Legislativa	0,1911
Transporte	0,1697
Ciência e Tecnologia	0,1202
Relações Exteriores	0,0987
Gestão Ambiental	0,0777
Comunicações	0,0560
Comércio e Serviços	0,0438
Energia	0,0427
Indústria	0,407
Urbanismo	0,0290
Organização Agrária	0,0263
Direitos da Cidadania	0,0170
Cultura	0,0161
Saneamento	0,0115
Desporto e Lazer	0,0055
Habitação	0,0001

Fonte: https://www1.siop.planejamento.gov.br/QvAJAXZfc/opendoc.htm?document=IAS%2FExecucao_Orcamentaria.qvw&host=QVS%40pqlk04&anonymous=true&beet=SH06

Elaboração: Auditoria Cidadã da Dívida. Consulta em 2/2/2022. Orçamento Fiscal e da Seguridade Social. Gráfico por Função, com exceção da Função "Encargos Especiais", que foi desmembrada em "Juros e Amortizações da Dívida" (GND 2 e 6); "Transferências a Estados e Municípios" (Programa 0903), e "Outros Encargos Especiais" (restante da função, composta por gastos com cumprimento de Sentenças Judiciais e outros gastos).

A dívida pública brasileira como elemento de obstrução do desenvolvimento do país e da melhoria do serviço público.

A Nacional Democracia é a síntese

Para nós, o esforço governamental deve acontecer no sentido de restaurar os vínculos perdidos pelos diferentes grupos sociais nas últimas três décadas, por meio do fomento do parque produtivo brasileiro e da melhoria da ocupação territorial do Brasil.

Isso exige um esforço intensivo e preciso por parte do governo no sentido de regular relações de natureza contraditória, como as relações capital/trabalho e as relações campo/cidade.

Para tanto, o desenvolvimento econômico deve ocorrer de maneira integrada com o desenvolvimento humano, o que sugere que os dois pilares da ordem social de que necessitamos residem no desenvolvimento econômico e em um sólido, amplo e democrático projeto educacional.

A dignidade, a solidariedade, o combate às enormes desigualdades sociais, o respeito às diferenças e o progresso são os valores que devem nos orientar na busca do que chamamos de *Nacional Democracia*.

Para nós, estas duas palavras, "nacional" e "democracia", sintetizam o conjunto de ideias que estão expressas neste livro, e que devem estar pontuadas de maneira objetiva no plano nacional de desenvolvimento de que o Brasil precisa.

A busca da questão nacional e de uma democracia íntegra, eficiente, criativa e original, pensada em torno da nossa condição social, cultural e geopolítica, é o que nós sonhamos e pelo que lutamos: **Por um Brasil Unido e Forte, Soberano e Democrático.**

Referências bibliográficas

ANDERSON, Perry. *A política externa americana e seus teóricos*. São Paulo: Boitempo, 2015.

ASSOCIAÇÃO DA INDÚSTRIA FARMACÊUTICA DE PESQUISA (INTERFARMA). *Guia 2019 Interfarma*. São Paulo, 2018.

BANDEIRA, Moniz. A Guerra do Chaco. *Revista Brasileira de Política Internacional*. v. 41, n. 1, pp. 162-197, 1998.

BANDEIRA, Luiz Alberto Moniz. *Brasil, Argentina e Estados Unidos – Conflito e integração na América do Sul (da Tríplice Aliança ao Mercosul – 1870-2003)*. 2. ed. Rio de Janeiro: Renavan, 2003.

BANDEIRA, Luiz Alberto Moniz. *O expansionismo brasileiro e a formação dos Estados na bacia do Prata: Argentina, Uruguai e Paraguai, da colonização à Guerra da Tríplice Aliança*. 3. ed. Rio de Janeiro: Revan; Brasília: Editora da Universidade de Brasília, 1998.

BANDEIRA, Luiz Alberto Moniz. *Cartéis e descolonização: a experiência brasileira 1964-1974*. Rio de Janeiro: Civilização Brasileira, 1975.

BRUM VIEIRA, Friederick. *Modelo travassiano — A geopolítica que guia o brasil na ditadura e na democracia*. 2. ed. Rio de Janeiro: Milênio, 2008.

BRZEZINSKI, Zbigniew. *EUA X URSS: o grande desafio*. Rio de Janeiro: Nórdica, s.d.

CARVALHO, José Murilo. A vida política. In: CARVALHO, José Murilo. *A construção nacional (1830-1889)*. V. 2. Rio de Janeiro, Objetiva, 2012.

CERVO, Amado Luiz. *Relações internacionais da América Latina: velhos e novos paradigmas*. Brasília: Instituto Brasileiro de Relações Internacionais, 2001.

CERVO, Amado Luiz; BUENO, Clodoaldo. *História da política exterior do Brasil*. Brasília: Unb, 2002.

CHALHOUB, Sidney. População e sociedade. In: CARVALHO, José Murilo. *A construção nacional (1830-1889)*. V. 2. Rio de Janeiro: Objetiva, 2012, pp. 37-81.

DORATIORO, Francisco. *Maldita Guerra: nova história da Guerra do Paraguai*. São Paulo: Companhia das Letras, 2002.

FURTADO, Celso. *Formação econômica da América Latina*. 2. ed. Rio de Janeiro: Lia, Editor S.A, 1970.

GADDIS, John Lewis. *História da guerra fria*. Rio de Janeiro, Nova Fronteira, 2006.

GABRIEL DE PIERI, Eliseu. *Brasil soberano: um plano nacional pós-neoliberalismo*. 2. ed. Brasília: Fundação João Mangabeira, 2009.

GIAMBIAGI, Fábio; ALÉM, Ana Cláudia. *Finanças públicas: teoria e prática no Brasil*. 4. ed. Rio de Janeiro: Elsevier, 2011.

GRAY, Colin. A geopolítica da era nuclear. *Política e Estratégia*, v. 3, n. 4, pp. 545-599, 1985.

GREMAUD, Amaury Patrick; VASCONCELLOS, Marco Antonio Sandoval de; TONETO JUNIOR, Rudinei. *Economia brasileira contemporânea*. São Paulo: Atlas, 2017.

GUGLIALMELLI, Juan Enrique. *Geopolítica del Cone Sul*. Buenos Aires: Editora El Cid, 1978

INSTITUTO BRASILEIRO DE GEOGRAFIA E ESTATÍSTICA (IBGE). *Estatísticas do século XX*. Rio de Janeiro, 2006.

JAGUARIBE, Helio. Autonomía periférica y hegemonía céntrica. *Estudios Internacionales*, v. 12, n. 46, pp. 91-130, 1979.

MARTIN, André Roberto. *Geopolítica e poder mundial: o anti-Golbery*. São Paulo: Hucitec, 2018.

MEDEIROS, Fágner João Maia; COSENTINO, Daniel do Val. Celso Furtado e Raúl Prebisch frente à crise do desenvolvimentismo da década de 1960. *Revista de Economia (UFPR)*, v. 41, pp. 150-179, 2020.

MELLO, Leonel Itaussu. *Quem tem medo da geopolítica?* São Paulo: Hucitec, 2015.

MENDONÇA, Tiago Starling de. *Construção aeronáutica no Brasil*. Rio de Janeiro: Instituto Histórico-Cultural da Aeronáutica, 2016.

MINDLIN, Betty. *Planejamento no Brasil*. 5. ed. São Paulo: Perspectiva, 2003.

MIRANDA, José Carlos Rocha. Plano Trienal de Desenvolvimento Econômico e Social. In: *Centro de Pesquisa e Documentação Histórica Contemporânea do Brasil*, Fundação Getulio Vargas, s.d.

Disponível em: http://www.fgv.br/cpdoc/acervo/dicionarios/verbete-tematico/plano-trienal-de-desenvolvimento-economico-e-social Acesso em: 25 jan. 2021.

MOURA, Gerson. *Autonomia na dependência. A política externa brasileira de 1935 a 1942*. Rio de janeiro: Nova Fronteira, 1980.

PAULA, Christiane Jalles de. O Instituto de Pesquisa e Estudos Sociais. In: *Centro de Pesquisa e Documentação Histórica Contemporânea do Brasil*, Fundação Getulio Vargas, s.d.

Fonte digital: https://cpdoc.fgv.br/producao/dossies/Jango/artigos/NaPresidenciaRepublica/O_Instituto_de_Pesquisa_e_Estudos_Sociais Acesso: 25 jan. 2021.

PROGRAMA DAS NAÇÕES UNIDAS PARA O DESENVOLVIMENTO (PNUD). *Relatório de desenvolvimento humano (2019)*. Lisboa: Camões – Instituto da Cooperação e da Língua, 2019.

SARAIVA, José Flávio Sombra. *História das relações internacionais contemporâneas – Da sociedade do século XIX à globalização*. São Paulo: Saraiva, 2008.

SANTOS, Milton. *A urbanização brasileira*. São Paulo: Hucitec, 1993.

SILVA, Golbery do Couto e. *Conjuntura política nacional: o poder executivo & geopolítica do Brasil*. 3. ed. Rio de Janeiro: José Olympio, 1981.

SOUZA, Jessé José Freire. *A elite do atraso: da escravidão à Lava Jato*. Rio de Janeiro: Casa da Palavra/LeYa, 2017.

WALTZ, Kenneth. *O homem, o Estado e a guerra*. São Paulo: Martins Fontes, 2004.

Índice onomástico

A
Alfonsín, Raúl 179
Alves, Roberto Cardoso 120
Amorim, Celso 182
Anderson, Perry 191
Bandeira, Luiz Alberto Moniz 40, 42, 43, 47, 94, 114, 126, 167, 170

B
Biden, Joe 15, 183
Bolívar, Simon 41
Bolsonaro, Jair Messias 21, 87, 140, 141, 175, 183, 184, 196, 229
Bonaparte, Napoleão 40, 161
Bonifácio, José 84
Branco, Castelo 95, 96, 117, 175
Brizola, Leonel 88, 94, 120, 122, 203
Brum Vieira, Friederick 107
Brzezinski, Zbigniew 150, 153
Bueno, Clodoaldo 44, 171
Bush, George W. 181, 182

C
Cardoso, Fernando Henrique 87, 118, 122, 131, 133, 136, 172, 179, 180, 183, 196, 197
Carter, Jimmy 104, 110
Carvalho, José Murilo de 37, 39
Castelo Branco, Humberto Alencar 95
Cervo, Amado Luiz 44, 55, 171
Chalhoub, Sidney 37, 39
Clinton, Bill 181
Collor *ver* Mello, Fernando Collor de
Cosentino, Daniel do Val 34
Costa e Silva *ver* Silva, Arthur da Costa e
Costa, José Ribamar Ferreira de Araújo 118
Covas, Mario 120, 122

D
Dantas, Francisco Clementino San Tiago 92, 93, 176, 177, 178

Delfim Netto, Antônio *ver* Netto, Antônio Delfim
Delmiro *ver* Gouveia, Delmiro
Dilma *ver* Rousseff, Dilma
Dom Pedro I (1º imperador do Brasil) 16, 44
Dom Pedro II (2º imperador do Brasil) 44
Doratioro, Francisco 43
Dumont, Santos 112
Dutra, Eurico Gaspar 54, 59, 63, 67, 68, 69, 70, 97, 175

F
Fávaro, Marcos 16
FHC *ver* Cardoso, Fernando Henrique
Figueiredo, João Baptista de Oliveira 104, 106, 107, 113, 119
Fiúza, Ledo 68
Fleming, Thiers 20
Franco, Itamar 131, 179, 180
Freyre, Gilberto 35
Frota, Silvio 115
Furtado, Celso 33, 34, 38, 46, 58, 63, 89, 93

G
Gabriel de Pieri, Eliseu 16, 21, 118
Gaddis, John Lewis 154
Gala, Paulo 230
Geisel, Ernesto 99, 100, 101, 102, 115, 116, 117, 178, 180
Getúlio *ver* Vargas, Getúlio

Giesteira, Luís Felipe 230
Golbery *ver* Silva, Golbery do Couto e
Gomes, Ciro 131
Gomes, Eduardo (brigadeiro) 68
Gomes, Severo 118
Gordon, Lincoln 94
Goulart, João 54, 59, 71, 72, 87, 88, 90, 91, 92, 93, 94, 97, 176, 177, 178
Goulart, João Belchior 88
Gouveia, Delmiro 167
Gray, Colin 151, 153
Gremaud, Amaury Patrick 34, 83, 96, 100
Guglialmelli, Juan Enrique 31
Guimarães, Samuel Pinheiro 97, 182
Guimarães, Ulysses 116, 118, 120, 121, 122
Gurgel, João Augusto Conrado do Amaral 76

H
Hitler, Adolf 174
Holanda, Sérgio Buarque de 35
Holste, Max 113
Itamar *ver* Franco, Itamar 131, 180
Jaguaribe, Hélio 160, 161
Jango *ver* Goulart, João
Jânio *ver* Quadros, Jânio
Jessé *ver* Souza, Jessé José Freire
JK *ver* Oliveira, Juscelino Kubitschek de
Juscelino *ver* Oliveira, Juscelino Kubitschek de

K
Kovacz, Joseph 113
Krushev, Nikita 155
Kubitschek, Juscelino *ver* Oliveira, Juscelino Kubitschek de
Lima, Vanderlei Cordeiro de 14
Linhares, José 67
Lott, Humberto Teixeira 75
Lula *ver* Silva, Luiz Inácio Lula da

M
Machado, Carlos Henrique 15
Machado, José Lopes 94
Machado, Wilson Dias 116
Mackinder, Halford 149, 151, 153
Mahan, Alfred T. 149, 153
Maluf, Paulo 87, 118
Martin, André Roberto 13, 155
Mauá, barão de 48
Medeiros, Fágner João Maria 34
Médici, Emílio Garrastazu 97, 99
Mello, Fernando Collor de 87, 120, 130, 131, 179, 180
Mello, Leonel Itaussu Almeida 149, 151
Melo, Fernando Collor de 130
Mendonça, Tiago Starling de 112
Mindlin, Betty 63
Miranda, José Carlos Rocha 92
Montoro, Franco 120, 122
Moura, Gerson 172

N
Napoleão *ver* Bonaparte, Napoleão
Neiva, José Carlos de Barros 113

Netto, Antônio Delfim 100
Neves, Aécio 140
Neves, Tancredo 116, 117, 118
Niemeyer, Oscar 203
Nixon, Richard 101

O
O'Neill, Jim 13
Oliveira, Dante de 117
Oliveira, Juscelino Kubitschek de 54, 59, 75, 77, 78, 79, 80, 81, 82, 83, 84, 85, 86, 87, 88, 89, 92, 93, 97, 129, 175, 196, 238
Oliveiros, Lemay Padrón 14
Orléans e Bragança (família imperial) 41

P
Paula, Christiane Jalles de 91
Pereira, Tito Lívio Barcellos 30, 31, 34, 150
Perón, Juan Domingo 92
Piva, Hugo 57
Prebisch, Raúl 34
Prestes, Luiz Carlos 67, 68

Q
Quadros, Jânio 87, 88, 93, 176

R
Ramos, Guerreiro 58
Ramos, Nereu 68
Rangel, Ignácio 58
Ratzel, Friedrich 147, 153

Reagan, Ronald 192
Rebello, Fernando 209
Ribeiro, Darcy 35, 203
Richa, José 122
Ricupero, Rubens 131
Robertão *ver* Alves, Roberto Cardoso
Roosevelt, Franklin Delano 67
Rosário, Guilherme Pereira do 116
Rosas, Juan Manuel 42
Rousseau, Jean-Jacques 236
Rousseff, Dilma 15, 21, 91, 136, 137, 138, 139, 140, 183

S
Salvy, Alfred 176
Santos, Milton 89
Santos, Osmar 122
Saraiva, José Flávio Sombra 155
Sarney, José 118, 119, 120, 179
Schwarz, Roberto 76
Silva, Arthur da Costa e 96, 97, 113
Silva, Golbery do Couto e 30, 45, 154, 155
Silva, Luiz Inácio Lula da 122, 133, 134, 135, 136, 182, 183, 190, 210, 215
Silva, Othon Luiz Pinheiro da 57
Silva, Ozires 57, 111, 113
Silveira, Azeredo 178
Simonsen, Mário Henrique 97-98
Souza, Jessé José Freire 32, 39
Spykman, Nicholas 153

T
Tancredo *ver* Neves, Tancredo 118, 119
Temer, Michel 139, 140, 183, 196
Toneto Junior, Rudinei 34, 83, 96, 100
Travassos, Mário 56

U
Ulysses *ver* Guimarães, Ulysses 118

V
Vargas, Getúlio 20, 44, 49, 53, 54, 59, 61, 62, 63, 66, 67, 68, 69, 70, 71, 72, 73, 74, 75, 85, 87, 92, 93, 95, 97, 107, 112, 136, 172, 174, 196, 197, 227, 238
Vasconcellos, Marco Antonio Sandoval de 34, 83, 96, 100
Viegas, José 231
Volcker, Paul 104

W
Waltz, Kenneth 236
Williamson, John 126, 127

GOSTOU DO LIVRO QUE
TERMINOU DE LER?
APONTE A CÂMERA DE SEU
CELULAR PARA O QR CODE
E DESCUBRA UM MUNDO
PARA EXPLORAR.

Impressão e Acabamento | Gráfica Viena
Todo papel desta obra possui certificação FSC® do fabricante.
Produzido conforme melhores práticas de gestão ambiental (ISO 14001)
www.graficaviena.com.br